DAU DEULU, UN DELYN

Dau Deulu, un Delyn
(Pencraig Fawr a Hafod y Gân)

Ceri Owen

Cainc ar y delyn
A thanllwyth o dân –
Hen aelwyd Pencraig
A Hafod y Gân.

Argraffiad: Awst 2001

h Ceri Owen

*Ni chaniateir defnyddio unrhyw ran/rannau
o'r llyfr hwn mewn unrhyw fodd
(ac eithrio i ddiben adolygu)
heb ganiatâd perchennog yr hawlfraint yn gyntaf.*

*Rhif Llyfr Safonol Rhyngwladol:
0-86381-582-0*

Llun y clawr:

Cynllun clawr: Sian Parri

*Cyhoeddwyd gan Ceri a'r teulu;
argraffwyd gan Wasg Carreg Gwalch, Llanrwst.*

DIOLCHIADAU
Hoffwn ddiolch o galon i Mair, gwraig Arwel, am fy helpu i roi'r holl hanes at ei gilydd.
Hefyd, i Myrddin ap Dafydd ac i Wasg Carreg Gwalch am argraffu'r llyfr.
C.O.

Cyflwynedig er cof annwyl am John
gan Ceri a'r teulu

Cynnwys

Rhagarweiniad

Mor hawdd yw byw yn y gorffennol ac edrych yn ôl ar y dyddiau difyr gynt. Fel y dywedais wrth y Sais hwnnw wrth gyd-deithio ar y bws i'r dref, 'Nothing seems to be the same these days – even the weather. Winter was winter and summer was summer in the old days'.

'Yes, but you should never look back. Live every day as if you're going to live forever,' atebodd yntau.

Roedd llawer o wirionedd yn ei eiriau, mae'n siŵr, ond rhywsut ni allaf anghofio'r dyddiau difyr gynt pan oedd cymdogion a phawb fel un teulu mawr, a chymeriadau naturiol ym mhob ardal; y rhain sy'n prysur fynd o fod. Y dyddiau pan oeddem yn hapus heb fawr o arian yn ein poced, pan oedd swllt a chwe cheiniog gwyn a hanner coron a phum swllt, a'r papur deg swllt a'r papur punt; a'r dyddiau pan nad oedd cymaint o wledda mewn gwestai moethus; yr amser pan oedd y cartref a'r aelwyd yn ganolfan ymgynnull; a'r adeg pan nad oedd raid poeni a oedd y drws ar glo – dim ond cnoc ar y drws a gweiddi, 'Oes 'na bobl i mewn?' Cymraeg ar bob aelwyd o'r bron; sgwrs, hwyl a chân i ddiweddu'r noson a phaned o de a theisen cartref i bawb – nid oedd sôn am fwrdd coffi y dyddiau hynny.

Hoffwn ichi eistedd am ennyd ynghanol eich prysurdeb gan ddod gyda mi i fwynhau bywyd yn y gorffennol, yr hyn sydd gennyf ar gof a chadw.

1. Fy Nghartref a'r Teulu

Fe'm ganed yn ferch i Enoch a Marged Dora Evans, Cefn Iwrch Bach, Cyffylliog. Y fi, Ceri, oedd yr ieuengaf o ddeg o blant.

Gwraig dawel, llawen a chroesawgar oedd Mam. Roedd hi bob amser adref ar yr aelwyd a phawb yn cymryd yn ganiataol mai adref oedd Mam i fod; ni fuasai'r aelwyd yr un hebddi hi.

Mab Cefn Iwrch Bach, Cyffylliog oedd fy nhad, sef Tada fel y'i galwem. Enoch oedd enw Tada ac Enoch oedd enw fy nhaid hefyd. Roedd yn ŵr cadarn ei farn, gwyllt ei dymer, ond hiwmor lond ei galon, a phleidiwr i'r carn. Clywais hanes Tada yn mynd i gyngerdd i'r Rhyl i wrando ar Dafydd Lloyd, y tenor. Roedd ganddo feddwl mawr ohono. Roedd y Pafiliwn yn llawn dop. Pan ganodd yn Saesneg, dyma Tada yn codi ar ei draed a gweiddi, 'Canwch yn Gymraeg' ac fe ganodd 'Iesu, Iesu, rwyt Ti'n ddigon' ar y dôn 'Hyder' nes tynnu'r lle i lawr a chael encôr urddasol. Roedd Tada yn danllyd dros y Gymraeg.

Fe aned y plant i gyd yng Nghefn Iwrch Bach, Cyffylliog, ac nid mewn ysbytai. Clywais Mam yn dweud mai Mrs Davies, Cefn Iwrch Mawr oedd yno i'w helpu gyda'r genedigaethau a dywedai am bob un wedi'r enedigaeth, 'Diolch i Dduw ei fod yn ddianaf.'

Ganed deg o blant i gyd, ond fe gladdwyd Doll yn naw oed, Ann Jane tua blwydd a hanner, a Christmas, a aned ar ddydd Nadolig, yn bythefnos oed. Bu Bill, Price, Dei, Nantw a Min yn Ysgol Cyffylliog nes inni symud i Bencraig ac roedd symud i Bencraig fel tase ni wedi mynd i wlad arall, meddai Mam. Roedd pob man yn edrych yn bell y dyddiau hynny. Roedd dwy arall ohonom, Maggie a minnau, Ceridwen; fi oedd tin y nyth fel y dywedir.

Fferm oddeutu 300 o aceri yw Pencraig Fawr sydd wedi ei lleoli rhwng Llanfihangel Glyn Myfyr, Melin-y-wig a Betws Gwerfyl Goch.

Bill, sef William Thomas, oedd yr hynaf o'r brodyr ac fe gerddodd yn esgidiau ei dad i fod yn Gadeirydd ar y Cyngor Sir yn Nolgellau. Roedd hyn ar ôl iddo briodi Ada o Gwernymynydd a mynd i ffermio Tai Ucha, Tre'r Ddôl, Corwen. Ganwyd dau o blant iddynt, Beryl a Meirion; (Beryl Lloyd Roberts i'r rhai sy'n gyfarwydd â'r byd cerddorol, cyn bennaeth yr Adran Gerdd yn Ysgol Brynhyfryd, Rhuthun, ac a fu'n arwain Côr Pwllglas a'r Cylch am flynyddoedd gan ennill nifer o wobrwyon gan gynnwys sawl llwyddiant yn yr Eisteddfod Genedlaethol).

Price, sef Enoch Price oedd y nesaf. Ef oedd yn ymddiddori mewn ymrysonau cŵn defaid ac yn bridio cŵn o frîd. Fe briododd â Mattie o Ben Cae, Llanelidan. Aethant i fyw i Llidiart Fawr, Gellifor a chawsant un ferch, Bronwen ac mae hithau wedi magu tri o feibion, Roland, Huw a Iolo (MacGregor), eto yn gerddorol iawn fel eu Mam.

Dei, sef John Dafydd yw'r nesaf. Fe briododd yntau Enid y Garth, Melin-y-wig, athrawes yn Ysgol Melin-y-wig. Aethant hwy i fyw i'r Brithdir ym Metws Gwerfyl Goch. Ef oedd arweinydd Parti Meibion Min yr Alwen ac ef oedd tad Margaret Edwards, sy'n arweinydd Côr Aelwyd Bro Gwerfyl. Mae Margaret hefyd wedi magu tri o blant, Elin, Leisa a Tudur, y tri ohonynt wedi etifeddu'r ddawn o ganu. Mae Dei hefyd yn dad i Esmor Evans, y milfeddyg o'r Wyddgrug sy'n bencampwr gyda'r gwartheg *Charolais*.

Nantw, sef Annie Mary oedd y nesaf. Fe briododd hi â Bob, Ty'n y Fron, Melin-y-wig. Buont yn ffermio Fron Bach, Cerrig, cyn symud i gartref Bob yn Nhy'n y Fron, Melin-y-wig. Cawsant hwythau ddau o blant, Elwyn a Gwynfor.

Yna Olwen Minni, neu Min fel y'i gelwid. Priododd hithau â Tom, Cefn Bannog, Melin-y-wig ac yn y cartref yng Nghefn Bannog y buont hwythau fyw. Wedyn, symud i Maes Cadw, Betws Gwerfyl Goch, fferm nepell o Bencraig. Cawsant hwythau bedwar o blant, Eddie, Gwynfryn, Menna a Morfydd ac fe fagwyd Eirwen fach gyda ni ym Mhencraig fel chwaer i ni.

Maggie Lizzie, sef Maggie oedd y nesaf. Fe briododd hi â Merddin, Foty Bach, Pentrefoelas ac yno, yng nghartref Merddin, y buont hwythau byw. Dyn y cŵn defaid eto ac yn adnabyddus fel beirniad hefyd. Magwyd tri o blant ganddynt; Hywel, y mab hynaf; Arthur sy'n ffermio gartref ac yn ymddiddori mewn cŵn defaid fel ei dad; a Iona sy'n byw ym Mhlas Onn, Cwmpenanner.

A fi, Ceridwen neu Ceri yw'r olaf o'r plant. Fe briodais innau â John o Ddyddyn Tudur, Llanfihangel Glyn Myfyr, sef hen gartref Owain Tudur. Cawsom ninnau chwech o blant, tri mab a thair merch; Alwena, Myfyr, Hefina, Arwel, Erfyl ac Eirlys.

Cofiaf lawer o bethau a ddywedodd Mam wrthym. 'Os na wnei di rŵan, byddi'n eu gwneud a'u cofio ar ôl i mi fynd,' ac mae hynny'n wir. Roedd cynildeb yn air pwysig ganddi. 'Os wyt yn edrych am gariad,' meddai, 'gelli ddweud yn ôl ei goler a'i esgidiau sut un ydyw a sut gartref sydd ganddo.' Os byddwn yn siarad gormod, dywedai wrthyf am beidio â siarad yn sbâr. Un arall oedd ganddi pan fyddwn eisiau mynd i gadw cyngerdd neu i rywle arall a minnau yn troi fy nhraed oedd, 'Tyrd, brysia, neu byddi â'th din ar y pot at y nos.' Dro arall, 'Gwna be fedri di a gadael y sbâr tan yfory'.

Gwisgem ffedogau bras at weithio i fwydo'r lloeau a'r moch ac i odro, a byddem yn berwi bagiau blawd at wneud llieiniau bwrdd a llestri.

Cofiaf y ffisig a wnâi i ni pan oedd annwyd arnom - finegr, menyn a thriog ac ychydig o bupur, a'i gymysgu hefo dŵr a'i roi mewn cwpan yn y popty. Yna ei adael ar y pentan hefo soser ar ei ben. Llwyaid ohono cyn mynd i'r gwely ac fe fyddai'n gwella'r tagu bob tro. Byddai hefyd yn rhoi wermod lwyd mewn jwg a dŵr poeth arno i fwydo dros nos a dos ohono yn y bore at godi'r stumog neu at lyngyr. Roedd blas chwerw iawn arno ond roedd Price a fi yn ei hoffi er hynny. Byddai'n rhoi edau wlân ar arddwrn at riwmatig hefyd. Roedd Mam yno bob amser i wrando ein cwyn ac i roi cyngor.

Pan fyddai'n storm fawr o fellt a tharanau, byddai'n troi pob drych a'i wyneb at y wal ac yn agor y drysau i'r fellten gael mynd allan. Tybed a oedd rhywbeth yn hynny?

Clywais rywun yn dweud mai Tada oedd y cyntaf i gael car ym Melin-y-wig, yr hen Austin 16. Het, cetyn a ffon, a dyna fo yn ei nefoedd yn yr hen gar. Cychwyn yn y bore a theithio tan nos; roedd ganddo rywle gwahanol bob dydd a digon o ffrindiau. Roedd ganddo gyrlen yn ei wallt ac os byddai ganddo hanes i'w ddweud, byddai'n troi'r gyrlen gyda'i fys. Ac os byddai wedi cael tro trwstan, byddem yn gwybod yr hanes hwnnw fel adnod. Ond os byddai wedi cael tro sâl, byddai'n dweud, 'Fase waeth iddo wneud i mhoced i'. Roedd gwynt yn un o'i elynion mwyaf. Chwythai ei het i lawr y buarth a byddai yntau yn dweud, 'Hen fygar 'rhen wynt 'ma'. Bu ganddo garreg yn ei aren am flynyddoedd. Yr unig ffisig oedd yn gwella'r boen oedd peint o *lager* ond byddai yn yfed dŵr berwi nionyn neu dŵr swêj ato hefyd. Roedd Doctor Ifor, Cerrig yn erfyn arno i fynd am driniaeth i'r ysbyty ond dweud fyddai Tada nad oedd hen gar yr un fath ar ôl bod yn y garej.

'Mi fyddwch wedi marw fel hesbwrn yn nhin clawdd rhyw ddiwrnod,' meddai Dr Ifor wrtho wedi colli ei amynedd wrth geisio ei ddarbwyllo. Ie, dyn penderfynol oedd Tada.

2. Tyfu i fyny

I Ysgol Melin-y-wig yr aem. Cerdded dwy filltir a hanner un ffordd. Caem ddigon o ymarfer corff a gwyddem am bob nyth aderyn, pob blodyn a llysieuyn. Byddwn yn aros i lawr ar ôl yr ysgol er mwyn cael mynd i'r *Band of Hope* a'r Seiat, a'r Côr Plant at y Cyfarfod Bach ac Eisteddfod y Groglith dan arweiniad Bob William, Bryn Halen ac Owen Edwards, Tan y Graig. Rhai o'r darnau yr oeddem yn eu canu oedd 'Pwsi Lwyd', 'Daw Meddyliau am y Nefoedd', 'Ffarwél i'r Gwynt a'r Eira' a 'Siglo, Siglo' gydag Owen Edwards yn ein siglo o ochr i ochr wrth ei chanu.

Byddem yn prynu diod ddail gan Catrin Evans o'r Tŷ Capel, dimai am lond potel fach sôs a cheiniog am un fawr. Eisteddai yn ei chadair siglo gan rowlio'i bodiau bob amser. Bûm yn meddwl llawer sut yr oedd yn gwneud y ddiod, ond ei chyfrinach hi ydoedd.

Roedd cymeriadau byr eu maint yn cadw'r siop, Mr a Mrs John Williams. Pan aem yno, byddai'n edrych dros ei sbectol ac yn gofyn â llais main, 'Wel! Be s'gen ti eisiau heddiw?' 'Cnegwath o fferins neu licris bôls', meddwn innau.

Yn y Glasgoed roedd y Llythyrdy lle'r ymgartrefai Mr a Mrs Hughes. Meira'r ferch oedd yn y Post rhan amlaf ac roedd ei brawd, Harri, yn cario'r post ac yn cadw'r hen felin flawd yn y pentre. Saer oedd y mab arall, Cynhafal, a oedd hefyd yn ymgymerwr angladdau yn y cylch, a byddai yn lladd moch o gylch y ffermydd.

Yn Islwyn, yr ochr arall i'r afon o'r capel, yr oedd yr ysgolfeistr, John Evans, yn byw. Teyrn o ddyn â gwallt a gwrid coch a chyda hiwmor iach. Ysgolfeistr gwych ac yn beldroediwr ffyrnig. Roedd o fel brenin yr ardal a chanddo ddylanwad ar y plant. Roedd ganddo wraig dawel, fechan, a thyaid o blant. Roedd hefyd yn fardd ac wedi iddo symud i

Lanegryn, enillodd y gadair yn yr Eisteddfod Genedlaethol. Siôn Ifan oedd ei enw barddol. Cofiaf amdano'n dod i Bencraig ac yn cerdded i mewn trwy ddrws y ffrynt ac allan drwy'r cefn gan ddweud, 'Maent yn dweud fod llwybr ffordd yma i Bodtegir'.

Roeddwn yn chwech oed yn dechrau mynd i'r ysgol. Wedi i Gwyneth, fy nghyfnither briodi â David John, Bryn Ffynnon, Melin-y-wig, cafodd y ddau dŷ yn y pentref, sef Bryn Hyfryd. Roedd braidd yn ormod i mi gerdded dwy filltir a hanner un ffordd o Bencraig i'r ysgol ar y dechrau a chefais aros ym Mryn Hyfryd hefo Gwyneth a David John. Ond yn fuan iawn ar ôl dechrau'r ysgol, fe gefais y clefyd melyn a bûm yn bur wael. Bu'n rhaid i mi aros adref o'r ysgol am flwyddyn, nes oeddwn yn saith oed, cyn i mi fod yn ddigon cryf i ail ddechrau'r ysgol. Byddwn yn aros ym Mryn Hyfryd weithiau i gael mynd i'r Seiat a'r *Band of Hope* ac i ymarfer gyda'r côr plant.

Oherwydd i mi golli cymaint o'r ysgol tra'n sâl, ni fûm mewn unrhyw ysgol ar wahân i Ysgol Melin-y-wig. Nid oeddwn yn dda hefo rhifau ond roeddwn wrth fy modd yn darllen ac ysgrifennu. Cymraeg a gaem ran fwyaf ac wrth gwrs, Cymraeg oedd ar yr aelwyd gartref bob amser. Gadewais ysgol pan oeddwn yn bedair ar ddeg oed a glynu at waith tŷ a gweithio adref ar y fferm hefo Maggie, fy chwaer a wnes, yn enwedig ar ôl i fy nwy chwaer hynaf briodi a gadael y nyth. 'Y boles ifanc yn dod i'r tresi', fel byddai Huw Watson yn ei ddweud wrthyf gan dynnu fy nghoes fel y byddai o hyd. Byddai Huw, cymeriad cefn gwlad, yn dod i Bencraig i helpu hefo'r injian ddyrnu a gofid mawr inni oedd clywed am ei farwolaeth greulon.

Yn y dyddiau cynnar ar ôl y rhyfel, roedd gennym was o'r enw Paddy. Ie, Gwyddel oedd o, un gwyllt iawn ei dymer ac ni fyddai yn bwyta popeth ar ddydd Gwener. Roedd yn cysgu yn y llofft allan gan ei fod yn hoffi mynd allan fin nos hefo'i fotor beic. Mynd i'r *ballroom dancing* oedd ei fryd. Gwisgai siwt ddu, crys gwyn a thei bo ac esgidiau *patent* trwyn hir a sawdl fawr, a'i wallt du yn sgleinio fel gallech sglefrio arno. Cofiaf iddo fynd i'r Rhyl un noson i weld y *'Wall of Death'*. Roedd yn orchestol iawn. *'Nothing in it, lad,'* meddai fel byddai yn ei ddweud am bopeth. Aeth ati i drio wal y buarth fore trannoeth hefo'i fotor beic; sŵn mawr a refio nes iddo ddisgyn ar ei gefn ar lawr y buarth. Fe wnaeth gert o bren, dwy siafft gyda phren ar draws a rhoi'r ferlen yn y siafft; yntau'n eistedd ar y styllen rhwng y ddwy olwyn. Cychwyn rownd Cae Cefn fel peth gwyllt nes chwalodd y cert yn dipiau ac yntau'n llusgo wrth y ffrwyn. Roedd yn un da am chwarae organ geg. Eisteddai o flaen y tân un noson ac un droed ar bob pentan gan chwarae'r organ geg. Gofynnodd Mam iddo symud er mwyn i rywun arall gael dod at y tân. Fe wylltiodd, gan luchio'r organ geg i'r tân. Cipiodd Mam hi o'r fflamau a'i lluchio i'r llawr carreg. *'Sorry ma'm, sorry ma'm,'* meddai. Roedd ganddo dipyn o ofn Mam er ei bod hi mor dawel ac roedd gen innau dipyn o'i ofn yntau. Byddai yn rhedeg ar fy ôl rownd y buarth gan geisio fy lluchio i'r cafn dŵr, ond lwyddodd o ddim. Cofiaf iddo fynd yn ei dymer hefo'r motor beic trwy'r giât terfyn rhwng Pencraig Bach a ninnau, nes ei malu'n dipiau. Do, mi gafodd bregeth i'w chofio drannoeth gan Tada.

Dro arall, roedd hi'n ganol bore ar Tada yn codi o'i wely ac fe ddeuais innau i mewn o'r cefn gan weiddi fod llwynog newydd redeg dros boncyn y cefn. Byddai Tada bob amser yn gallu arogli llwynog ac fe gydiodd yn y gwn oddi ar y dist wrth ben y llawr, rhoi ei het am ei ben ac allan drwy ddrws y cefn heb fwyta ei frecwast! Ni chefais nerth i weiddi "Ffŵl Ebrill" arno! Ddaeth o ddim yn ei ôl tan ginio ac erbyn hynny, roeddwn innau wedi ei heglu hi am y diwrnod!

Cofiaf am Tada yn bwyta mewn tŷ te yn Ninbych. Tan y Bylciau oedd ei enw ac ar y mur yno wedi eu fframio yr oedd rheolau'r teulu. Cawsom gopi bob un ohonynt ac rwy'n cofio'r rhan fwyaf ohonynt hyd heddiw:

RHEOLAU

I GAEL EU CADW GAN Y TEULU HWN.

PSALM 101

Na wastreffwch. Ni bydd eisiau."
Cesglwch y briwfwyd gweddill, fel na choller dim." - IOAN vi. 12

Gwnewch bob peth yn ei briodol amser.
"Y mae amser i bob peth, ac amser i bob amcan dan y nefoedd." - PREG. iii. 1

Rhoddwch bob peth yn ei le priodol.

Defnyddiwch bob peth at ei wasanaeth ei hun.

Byddwch gywir. Byddwch reolaidd. Byddwch lan.
"Gwnewch bob peth yn weddaidd ac mewn trefn." - 1 COR xiv 40
"Gan brynu yr amser, oblegid y dyddiau sydd ddrwg." - EPH. v 16.

Cyfodwch yn fore. Byddwch ddiwyd.
"Nid yn ddiog mewn diwydrwydd; yn wresog yn yr ysbryd; yn gwasanaethu yr Arglwydd." - RHUF. xii. 11.
"A rhoddi ohonoch eich bryd ar fod yn llonydd, a gwneuthur eich gorchwylion eich hunain, a gweithio a'ch dwylaw eich hunain." 1 THES. iv 11.
"Chwe diwrnod y gweithi, ac y gwnai dy holl waith." - EXOD. xx 9.

Byddwch gymwynasgar a thirion y naill at y llall.

Na fydded un gair digofus i'w glywed yn eich mysg.
"Byddwch oll yn unfryd, yn cydoddef a'ch gilydd, yn caru fel brodyr." - 1 PEDR iii. 8.
"Dilynwn y pethau a berthynant i heddwch, a'r pethau a berthynant i adeiladaeth ein gilydd." - RHUF. xiv 19.

Na adewch tan yfory yr hyn a alloch ei wneuthur heddyw.

Nid oes dim yn flinderus a wnawn yn ewyllysgar.

Cymmesurwch bob peth wrth wastadrwydd yr achlysur.

Pan yn ddigllon, cyfrifwch ddeg cyn siarad, os yn ddigllon iawn, cyfrifwch gant.

Na weriwch eich arian cyn y caffoch hwynt.

Na phrynwch yr hyn na fyddo arnoch ei eisiau am ei fod o isel bris.
"Tynner ymaith oddi wrthych bob chwerwedd, a llid, a dig, a llefain, a chabledd gyda phob drygioni; a byddwch gymmwynasgar i'ch gilydd, yn dosturiol, yn maddeu i'ch gilydd." - EPH. iv.31, 32.

"Cofiwch y Dydd Sabbath i'w sancteiddio ef" - "Chwiliwch yr Ysgrythyrau." - "Gwyliwch a gweddiwch."

Argraffwyd gan R. T. Roberts, Rhuthyn

Yn ystod y cyfnod hwn y daeth Annie Davies, Brynllwyd, Telynores Hiraethog i aros atom i Pencraig. Roedd Annie yn chwaer i R O Davies, Porth, Prion. Roedd yntau, gyda dawn neilltuol i farddoni ac yn ffrind agos i Tada. Mae ei fab, Meirion, Y Fron, Saron gynt, yn parhau i gadw cysylltiad. Daeth gyda'i thelyn a bu gyda ni yn gwneud ei chartref am amser hir. Gwyddai Mam na fyddai'n aros i weithio yn hir yn unlle a byddai'n dweud wrthi am beidio mynd â llawer o ddillad gyda hi rhag ofn na fuasai'n hoffi'r lle. Ymhen rhyw bythefnos, fe welem Annie yn dod i lawr y lôn, wedi cael digon yno. Roedd Tada wedi meddwl i un ohonom ddysgu chwarae'r delyn ac roedd gen innau gryn ddiddordeb mewn dysgu. Dechreuais chwarae'r delyn yn ifanc iawn, nid oddi wrth gopi ond oddi ar fy nghof. Dysgwn ddwy neu dair o alawon y dydd. Fe'm dysgodd i chwarae'r delyn ar fy ysgwydd chwith rhag ofn imi weld telyn Gymreig. Nansi Richards, Telynores Maldwyn, ddysgodd Annie a byddai'r ddwy ohonynt hwythau yn chwarae ar yr ysgwydd chwith, er y gallai Nansi Richards chwarae ar yr ysgwydd dde hefyd! Mae gennyf lawer o le i ddiolch i Annie Davies, Telynores Hiraethog.

Y delyn gyntaf a gefais oedd un *Single Action*. Fe aeth Tada a Mam i'r Rhyl am dro ac fe welsant hen ŵr a barf gwyn ganddo yn chwarae'r delyn ar lan y môr, gyda sŵn bendigedig iddi. Roedd het ar lawr wrth ei ochr i gasglu arian. Roedd Tada wedi gwirioni ar y delyn ac fe'i prynodd ganddo, er mawr fy syndod, i mi gael dysgu. Reuben Roberts oedd enw'r hen ŵr. Roedd o wedi priodi ag un o'r Woods ac ymadawodd y ddau a mynd am y Fflint erbyn hynny. Roedd o mewn oed ac angen yr arian efallai. Ni chefais wybod beth dalodd Tada am y delyn. Reuben oedd yn chwarae i chwalu llwch un o'r Sipsiwn ar fynydd Llangwm. Byddem yn arfer canu 'Alawon fy Ngwlad' o waith T O Jones, Ceirnioge Bach, Pentrefoelas ar ddechrau cyngerdd ac yn sôn am y sipsiwn wrth Bont Rhydgaregog, Pentrefoelas 'Yn tynnu o'r tannau, Alawon fy ngwlad.' Roedd melfed coch ar bolyn y delyn ac mae hwnnw i'w weld yn y llun sydd yn y llyfr a ysgrifennwyd am y sipsiwn. Ymhen amser, aeth y delyn yn dwll pryf i gyd ac nid oedd yn bosib canu gyda hi gan mai *Single Action* oedd hi. Felly, fe brynwyd telyn gan Delynores Uwchllyn imi wedyn. Buom yn canu llawer gyda'r delyn mewn cymdeithasau a llawer i noson lawen ar yr aelwyd trwy gymorth Telynores Hiraethog.

Dysgodd Annie lawer i ganu penillion, fel Parti Plas yr Esgob, Rhewl, a Merched Bryn Meibion, Clawddnewydd a'm dau frawd, Bill a Dei, i ganu deuawd. Y *Long and Short Wave* fyddai Dafydd Jones, Silcox, yn eu galw pan yn arwain cyngerdd gyda ni gan fod Dei yn fychan dan gesail Bill. (Gweithio i gwmni Silcox yn mynd o amgylch y ffermydd a wnai Dafydd Jones a dyna sut cafodd ei enw.) Byddai Dafydd Jones yn dweud ar ddechrau'r Cyngerdd, 'Dipyn o lobsgows sydd gennym heno, ond dydi lobsgows da i ddim heb gig ynddo. Dyma i chi dipyn o'r cig rŵan,' meddai pan fyddai'r ddau yn canu 'Iesu o Nasareth' ar yr alaw 'Llanofer'. Byddai ganddo rhyw lais mawr pregethwrol pan yn dweud stori. Cofiaf un a ddywedodd droeon:

'Y gŵr hwnnw, wyddoch chi, ar ei liniau ar lawr y ffordd ac yn goleuo matsys naill un ar ôl y llall. A dyma fi'n gofyn iddo, 'Bobol bach, pam ydach chi'n tanio cymaint o fatsys?' 'Wedi colli taffi ydwi,' meddai'r dyn. 'Wel!' meddwn wrtho, 'mae gen i daffi yn y mhoced gewch chi.' 'Na! 'Dach chi ddim yn deall,' meddai'r gŵr wrtho gan weiddi ar dop ei lais, 'mae 'nannedd gosod i'n sownd wrtho fo!'

Buom yn cadw llawer o gyngherddau hefo Robert Jones, y Traian yn arwain. Roedd o'n ŵr amryddawn, hwyliog a bywiog, cartrefol ar lwyfan. Byddai'n cyfansoddi geiriau yn y bore a'u canu yn y cyngerdd yr un noson. 'Dyna wicsen boeth, ffres, newydd ddod o'r popty' meddai.

Cofiaf amdanom yn mynd i Gwmtirmynach i gadw cyngerdd, ac yn wir, yn methu dwy noson - mynd y noson cynt i'r Traian i gyfarfod Bob Jones. Dyna destun cân i Bob yn syth! Unrhyw dro trwstan ac roedd o'n beryg!

Mae hanes yn ein Beibl.
Am ryw ddeng morwyn ffôl,
Roedd pump ohonynt ar y blaen
A phump o hyd ar ôl.
Mae llawer i ddigwyddiad
Fel yna yn ein byd.
A'r gorau beth bob amser
Yw, gofalu bod mewn pryd.

Ond clywais am rhyw Ddafydd,
Un byr ond hir ei wynt
Yn rhedeg fel cwningen
I'r Traean noson cynt,
Heb sychu ei draed na churo
A'i benwisg yn ei law,
'Ydi Robert Jones yn barod
Mae Wil yn dyfod draw.'

'Pa beth yn enw'r nefoedd
Yw'r mater?' ebe'r wraig,
Ai colli ei synhwyrau
Mae Dafydd Pen y Graig?
'Dowch at y tân, fy machgen,'
Gafaelodd yn ei law,
'Ydi Robert Jones yn barod,
Mae Wil yn dyfod draw.'

O fewn ychydig amser
Ca'dd syndod fwy na chynt
Hi glywai dannau telyn
Yn chwarae yn y gwynt,
A gwelodd ei frawd, William
Yn dod ar hyd y ddôl
A thelyn Cymru ar ei gefn
A Ceri ar ei ôl.

'Pa beth yn neno'r annwyl?
Pa beth fy mhlantos mwyn
Yw'r achos?' meddai William
A chwys ar flaen ei drwyn;
'Yr achos, oni wyddoch
Yn neno'r rargian fawr,
I gyrraedd Cwmtirmynach -
Does gennym ond rhyw awr!'

Daeth gwên i wyneb Lily
Dyneraf wraig y plwy',
Gwahoddodd hwy i'r gegin,
Rhoes iddynt de ac ŵy,
'Nos fory blant, nos fory
I Gwmtirmynach ewch,
Chwi wnaethoch gamgymeriad,
Bwytewch, fy mhlant, bwytewch.'

Cyfododd gwrid i'w hwyneb,
Edrychodd Dei ar Bil,
Edrychai'r ddau ar Ceri,
Edrychai hithau'n swil;
A tharodd dwfn ddistawrwydd
Dim ond ticiadau'r cloc,
A hwnnw fel pe'n d'wedyd -
Daw Robert adre toc.

Yn sŵn y cloc yn tician
Daeth tair ochenaid gref
Rhyw 'O na chawn ni heddiw'n ôl
Tu faes i furiau'r nef;'
Fy mrodyr, yng Nghaergybi
Yn isel iawn ei bris
Cewch Almanac, ac ynddo
Bob dydd o fewn y mis.

Dyma'r teuluoedd a fu yn gymdogion inni ym Mhencraig Bach:
Mr a Mrs John Williams ac Ifor, y mab (sef Ifor Williams Trailers,
Cynwyd). Roedd Mrs Williams yn wraig hynod o lân ac yntau'n
gnoiwr baco heb ei ail. Wedyn, Mr a Mrs George Edwards a Phyllis
a Morfydd. Roedd y ddwy yn dod i'r ysgol yn Melin-y-wig gyda
ni. Yna, daeth Mr a Mrs Whitfield a Dale, y mab, a Sheila, y ferch.
Cymeriadau hollol wahanol ac yn Saeson. Yna, daeth Mr a Mrs
Thomas Roberts ac un ferch, Enid. Roedd hithau yn dod gyda mi

i Ysgol Melin-y-wig ac mae'n byw yn Y Parc, Rhuthun erbyn hyn ac wedi priodi â Bob o Felin-y-coed. Enid oedd cyfeilyddes Parti Melin-y-coed – roedd ei gŵr yn y parti hefyd.

Mae'n anodd dod i ben ac enwi pawb a ddeuai i Bencraig Fawr i ganu, Dei Maes Gadfa, Cwmtirmynach; Now Pen Gob o Langwm; John Dafis o Glanrafon; rhai o deulu y Rhos, Bylchau; Gwen Owen, Priddbwll, Llansannan yn dod ar fotorbeic; Clement Jones, Pen y Bryniau, Betws; teulu'r Vaughaniaid o Betws; Meirion Davies, Y Fron, Prion; a Wil bach y baledwr. Fe wnaed record sengl o Wil bach yn canu gwerin gyda'r delyn, a minnau yn cyfeilio. Credaf fod Wil bob amser yn ail i Robert Roberts Tai'r Felin. Bu Wil yn canu hefyd ar y radio mewn noson lawen gyda Charles Williams a Sam Jones. Ifan O Williams oedd yn trefnu'r rhaglen.

Cofiaf i William Edwards o Rydymain ddod i destio llaeth i Bencraig. Ninnau'n gofyn iddo o ble roedd o'n dod. ' O Ryd-y-main,' meddai. 'Wel! Ydach chi'n nabod William Edwards,' meddem ninnau ac yntau yn ateb, 'Mae'n nhw'n dweud mai fi ydy hwnnw!' Ar ganol y godro, rhaid oedd mynd i'r tŷ am baned a thonc ar y delyn. Fe ganodd 'Fy Olwen I' ar 'Lausanne' a'r 'Pren Lelog'. Llais nad anghofiaf byth!

Byddai Arthur Rowlands yn dod draw hefyd. Roedd yn ffrindiau mawr â Price. A Dei Price, y baledwr a'r adroddwr o Bodfari, a Bob a John Ty'n Celyn, Llanfihangel, a John Tyddyn, fy ngŵr erbyn hyn! Byddai canu mawr ar ôl bod yn ymarfer y côr ym Melin-y-wig.

Braf oedd gweld teuluoedd yn dod i'r capel. Nid oedd un sedd yn ddigon yn aml. Cofiaf H M Pugh o Gyffylliog yn pregethu. Llond pulpud o ddyn a llais cryf. 'The Broad and the Narrow Way' meddai am ffordd fawr a ffordd lydan gan swnio'r 'r'. Os byddai'r pregethwr yn plesio, byddai Ellis Davies, Bryn Halen yn troi ac yn rhoi winc ar Tada.

Y gweinidog oedd y Parch. Alun Williams, difyr ei gwmni a hwyliog. Difyr mewn seiat ac ysgwydwr llaw penigamp. Cofiaf helynt cau tafarn y *White Horse* yn y Betws, Alun Williams a llu o rai eraill am ei chau a Tada yn erbyn. Ond ei chau a fu ac Alun Williams a Tada yn benben. Ymhen rhyw ychydig ddyddiau, byddai Tada wedi mynd i Hyfrydle â menyn a wyau hefo fo, a'r ddau yn ben ffrindiau wedi hynny, dim dal dig.

Mrs Stevens oedd yn cadw'r *White Horse* bryd hynny. Brenhines o wraig, yn feistr ar ei gwaith a dylanwad ar ei chwsmeriaid. Ni chaent yfed mwy na'u haeddiant a byddai'n cau am naw o'r gloch, nid am unarddeg fel heddiw. Roedd dwy dafarn yn y Betws ar un adeg, yr Hand Uchaf oedd y llall.

Roedd dwy siop hefyd, siop yr Hand, a siop isaf Glan Aber. Mae'n chwith gweld y lle heddiw heb siop na thafarn i ymgynnull. I'r Cymro yr ânt yn awr. 'Does na 'run siop ym Melin-y-wig ychwaith ac mae'r ysgol a fu mewn bri lle codwyd cewri fel J E Jones, Foty Fawr, wedi cau. Bu J E Jones yn gefn mawr i Blaid Cymru ac mae plac i'w goffau ar fur yr ysgol erbyn hyn.

Ein horiau hamdden fwyaf oedd ar yr aelwyd gartref. Ar nos Sul, fe ddysgem y Detholiad newydd o glawr i glawr. Roedd llewyrch bryd hynny ar gymanfaoedd, nosweithiau llawen a chyngherddau, a'r cyfarfod bach i baratoi at Eisteddfod fawr y Groglith. Byddem yn dysgu'r anthem at yr eisteddfod hon dan arweiniad Emyr Davies, Ty'n Llechwedd gydag Anwen, ei chwaer, neu Morwenna yn cyfeilio i ni. Tynnu'r dorch â Chôr y Betws. Teulu cerddorol iawn oeddent. Bu Tada yn beirniadu'r farddoniaeth yn y cyfarfod bach unwaith. Dim ond dau gystadleuydd gafodd ar wneud penillion i ardal Melin-y-wig, William Williams, Tyn y Fron a Hugh Parry Owen, Foel Grachen. 'Nid oes gennyf ond darnau o rai Hugh Parry, fel rhigymau o amgylch yr ardal. Os ewch i fyny i dop Tai Teg, eisteddwch yn y fan honno nes cyfrif i ddeg. Tyn Llechwedd sydd mewn pant ar y top a Phwll Pridd sydd â'i wyneb at gefn Cabl Hir.' Dim ond Hugh Parry fyddai'n gwneud rhai o'r math yma. Ond roedd William Williams yn fwy barddonol ac iddo ef yr aeth y wobr.

Hen ardal sy'n annwyl i'm calon
Gaf heddiw yn destun i'm cân;
'Rwy'n caru ei merched a'i meibion
Sy'n rhodio yr hen lwybrau glân;
Mae'i chaeau, a'i bryniau, a'i choedydd,
Yn mynd yn fwy swynol o hyd,
A chredaf pe chwiliwn y gwledydd
Na chawn i le tebyg drwy'r byd.

Mae'r pentref bach tawel sydd yma
Yn gyrchfan trigolion y fro,
Y felin hynafol sydd hefyd
Yn syndod dieithriaid ar dro;
Mae'r saer a'r melinydd a'r siopwr
Yn ateb pob galwad a fo,
Ond trwm gan fy nghalon yw dwedyd
Fod clo ar hen weithdy y go'.

Daw'r post a phob rhyw hanesion
Am helynt y bwthyn a'r llys,
A ffôn a geir yma yn union
At alwad pob achos a brys.
Ond gorau yr ardal, er hynny,
Yw'r capel a'r ysgol-bob-dydd;
Gobeithio y bydd crefydd yn ffynnu
Yng Nghynfal i'r oesoedd a fydd.

Ond, un diwrnod, dyma benillion drwy'r post i'r beirniad, sef
Tada, gan Hugh Parry:

Enoch, y d.......l barus
Yn dy glorian rwy'n ysgafnach na manus,
Cam farn o fewn dy lys
Gwaith awen anrhydeddus.

23

Cam farn o'th gorun cyrliog,
Camarwain, cam edrych y draenog,
Ei dithau'n gam, ei y rôg
Mor gam â chynffon ceiliog.

Rhoi fi'n salach na'r sothach
Yng ngŵydd y byd, y cachu bach.

Dyna Hugh Parry yn ei nerth a'i ddawn o dynnu coes!
Mae llawer o'r eisteddfodau bach yn prysur ddiflannu erbyn hyn. Rhain oedd yr eisteddfodau mawr ers talwm. Eisteddfod y Calan yn Llanfihangel, ac ar y Groglith ym Melin-y-wig, ac Eisteddfod y Betws ar ddydd Nadolig. Roedd cystadlu brwd ar yr Her Unawd - Bob Ellis, Pentrefoelas, Bob John o'r Bala, Gwyn Pen Palmant, Gwen Salisbury o Gyffylliog, Clement Jones, Pen y Bryniau, Elin Y Garth, Bob Bryn Obwst, Bob Derwydd, Berwyn o'r Bala, John Price, Henllan a Herbert Evans ac ambell un arall yn siŵr. Dyna i chi leisiau i'w cofio. Wrth gwrs, byddent yn uno i ganu deuawdau wedi hynny. Roedd y cylch yn eang a'r capeli dan eu sang. 'Does ryfedd fod Capel Llanfihangel wedi gwyro dan y pwysau o'r canu a fu yno.

3. Y Tywydd Garw

Rwy'n cofio tywydd caled iawn yn 1937 ac yn 1947. Yn 1937, roedd yr eira gwlyb yn rhewi wrth ddod i lawr ac roedd gwlân y defaid yn sticio i fyny fel pigau. Cofiaf fy mrawd, Bill, yn mynd allan drwy'r drws yn y bore ac yn methu stopio nes aeth dros y domen dail at ddrws y stabl - roedd pob man fel gwydr.

Pan ddaeth eira mawr 1947, nid oedd sôn am giatiau na gwrychoedd ac roedd wedi lluwchio i fyny'r ffenestri a'r drysau. Rhaid oedd torri'r eira gyda rhawiau ac agor y lôn o Pencraig i'r top dair gwaith nes yr oedd o fel twnnel. Roedd Owen Tan Graig, Melin-y-wig yno, wedi methu mynd adref mae'n debyg. Bu'r hogiau ac yntau yn torri'r eira dan ganu'r emyn, 'Ac eto rwyf o hyd yn symud peth ymlaen' gydag Owen yn ringio'r tenor. Buom adref, heb symud i unlle am wyth wythnos, dim sôn am y torrwr eira bryd hynny, ond roeddem yn reit hapus drwy'r cwbl. Collwyd llawer o ddefaid dan eira ac roedd Shep, yr hen gi defaid, yn crafu'r eira ac yn ffeindio pob un yn fyw neu yn farw.

Bu i Mam ac Eirwen fethu dod adref ar ôl mynd i weld Nantw a Bob yn Fron Bach, Cwm. Dyma lythyr yr anfonwyd gan fy nhad i Mam ac Eirwen:

Pencraig Fawr
Betws G.G.
Corwen
Chwefror 15fed, 1947

Annwyl Dora ac Eirwen,

Gair neu ddau o'm profiad ar gân. Gwell canu na galar ar amgylchiad fel hyn.

Yn yr eira rwyf yn trigo
Dim ond llwybrau ar bob llaw,
Rhai yn torri eira yma,
Eraill wrthi yn fan draw;
Minnau'n gorfod aros adre
Yn yr oerni yn gwneud gwar,
Ni chaf heddiw i'm cysuro
Ddim na gwraig na motor car.

Mynd am dro i gwt y motor
Er mwyn codi ganddo wres,
Hwnnw'n sefyll yn ei syndod,
Pa le roedd y tywydd tes?
Disgwyl ydwyf yn feunyddiol
Am weld meiriol i'm rhyddhau;
Gormod ydi cysgu'n unig
Ar ôl bod yn un o ddau.

Deall rwyf eich bod yn hapus
Ond pryderus mae yn siŵr,
Cofiwch wrando y tro nesaf
Ar ddoeth gyngor eich hen ŵr;
Cydymdeimlo mae cymdogion
Gyda mi'n yr oerni mawr,
Chydig iawn sy'n dyfod yma -
Nid yr un yw Pencraig Fawr.

Mae y lle yn ddistaw odiaeth,
Dim o firi Eirwen fach,
Deall rwyf fod hithau'n hapus
Ar hen aelwyd glyd Fron Bach;
Peidiwch meddwl am ddod adre
Drwy yr eira mawr a'r rhew,
Fe wna 'chydig bach o seibiant
Ddaioni mawr at fynd yn dew.

Yr unig drwbl mawr sydd yma
Ydi streic y dŵr a'r llaeth,
Gorfod cludo hwnnw bellter,
Ond drwy'r corddi, cawsom faeth;
Nid oedd bosib byw wrth gorddi
A thwr o filiau ar y bwrdd;
Felly rhaid oedd cwrdd y lori
Er mwyn cadw'r beili i ffwrdd.

Pan yn ceisio torri'r record
O drafaelio gyda'i laeth,
Taflu'r slej wnaeth gŵr Bryn Mawndy,
Ni cha'dd ef na'i loi y maeth;
Peryglus iawn yw mentro gormod
Ar fath rew a thywydd mawr;
Cofiwch Dora am y cyngor
Rhag i'ch iechyd dorri i lawr.

Mynd ymlaen y mae gorchwylion,
Pawb mewn harnes yn bur dynn,
Rhoddwch heibio eich pryderon,
Fe ddaw eto haul ar fryn;
Gwell i mi i'w tynnu i'r terfyn
Neu chwi flinwch ar y gân,
Bendith fawr y tywydd yma
Ydi digon ar y tân.

Ein dymuniadau gorau roddwn
Oll fel teulu mawr i chwi,
Cofiwch am yr hen gân honno -
'Hidia monno, monno fi.'
Maggie sydd yn cwyno fwyaf
Heb 'rhen Eirwen wrth ei chefn,
Disgwyl wnawn y daw yn fuan
Bethau eto'n ôl i drefn.

Cofion cynnes atoch oll fel teulu yn Fron Bach gan obeithio eich bod oll ar i fyny.

Yn bur a chywir iawn dros yr oll o'r teulu ym Mhencraig Fawr.

Yr hen ŵr, Enoch.

Edrychem ymlaen am y Nadolig – tân dan y bwyler yn y briws i gynhesu, hyn cyn Ffair Nadolig Rhuthun a Chorwen. Rhoddwyd diwrnod i bluo'r tyrcïod, y chwiaid a'r gwyddau yn barod i fynd i'r ffair i'w gwerthu. Yn ffrwtian berwi mewn bagiau yn y bwyler, byddai dau neu dri plwm pwdin. Roedd arogl y Nadolig bryd hynny. Mae'n rhy ddrud i gael arogl fel hyn heddiw. Ni chawsem fawr o anrhegion. Yn ein hosan, caem ffrwythau a chnau, llyfr paentio a chreons, ac ambell bac o gardiau a dominos, ac yn ddigon bodlon ar hynny.

Roedd Tada yn arw am nionyn. Cofiaf roi llond ei hosan o nionod a'r rheini'n rholio dan y gwely bore Nadolig.

Mewn bri mawr yr oedd Eisteddfod y Nadolig yn y Betws. Ymarfer noson cynt tan yn hwyr a'r hogiau yn mynd i ganu carolau wedyn rownd y ffermydd gan orffen ym Mhencraig. Byddem yn bwyta mins peis a chael paneidiau tan oriau mân y bore.

Cariai'r postmon y cardiau a'r parseli mewn sach ar ei gefn gan gerdded i bobman. Croesai'r caeau a dringo'r camfeydd. Yr hen Bob Tan Boncyn o'r Betws oedd yn cario'r post bryd hynny - cymeriad a hanner! Rwy'n cofio torri ewinedd ei law dde, nid peth hawdd i'w wneud eich hun. Arferai ddweud ei hanes yn y ffosydd amser rhyfel gyda rhyw hen wag yn ei ochr a'r *Gerries* yn tanio dros eu pennau. Dyma'r hen foi yn codi i fyny o'r *trenches* ac yn gweiddi, 'Hold on lads, allwch chi ladd rhywun fel hyn!' Dywedai ei hanes yn mynd â'r Parch William Jones, Y Parc, ar gefn ei fotor beic i gyfarfod rhywun i'r Ddwyryd, Corwen ar ôl iddo fod yn pregethu yn y Betws. Roedd William Jones yn tynnu o chwith iddo ar bob cornel a phan ddaethant i'r Ddwyryd, dyma fo'n mynd i'w boced gan ddweud, 'Dyma i chi chwechyn bach i chi gael dipyn bach o siocled.' Roedd gan Bob lawer o hen hanes ond rhaid oedd iddo fynd yn ei flaen gyda'r post. Roedd Bob fel potel o ffisig pan ddeuai. Un o hen gymeriadau'r Betws oedd Mrs Roberts, Tan Boncyn, mam Bob y postman, yn y drws bob amser yn ei ffedog wen.

Cofiaf hefyd hanes Merddin Foty Bach yn dod draw i Pencraig i garu gyda Maggie. Byddai John yn cael ei gario gydag o. Ond roedd gormod o eira iddynt fynd adref. Rhoddwyd y ddau i gysgu yn y llofft ffrynt gan roi eu trowsusau wrth y tân i sychu a gosod cloc larwm ar soser iddynt at y bore. Byddai'r ddau yn edrych mor swil pan ddeuai Mam i lawr yn y bore a ninnau ill pedwar wrth y bwrdd brecwast. Dyma eiriau a wnaed i Merddin gan Ithon Jones, Penrhyn, Pentrefoelas:

YMSON LLANC A'I FODUR

Hillman annwyl, wyt ti'n cofio
Gweld yr eira'n dod i lawr,
Ninnau'n cychwyn yn hamddenol
Ar ein taith i Bencraig Fawr;
Wedi galw ym Mryn Eryr,
Roedd y gwartheg yn fy marn
Yn rhy rywiog a chroen denau
I ddal hinsawdd ochr Garn.

Cloi dy ddrysau a'th orchuddio
Yn ofalus rhag y gwynt,
Cofio iti gael yr annwyd
Ar dy blygiau'r troeon cynt;
Ni feddyliais fwy amdanat
Am rai oriau, dyna'r gwir,
Ond dychmygais fod yr eira'n
Toddi'n gyflym ar y tir.

Glywais ti y bos yn pasio
Yn gynhyrfus at y tŷ
Pan yn galw Price i godi
Ac i gerio'r ceffyl du;
Roedd ei gerbyd bron o'r golwg
Mewn lluwchfeydd rhwng gwrychoedd cul,
Yn y parlwr, sylweddolais
Fyddem adref cyn y Sul.

Wyt ti'n cofio'r helynt gawsom,
Minnau'n mynd nas gwyddom ple
Yn fy ôl drwy'r lluwch bron mygu
I mofyn cymorth 'John One Way';   *(Jac oedd hwnnw)*
Dod â thresi am d'olwynion,
Bron a fferru ganol nos,
Tithau'n mynnu, er ein gwaethaf,
Wrthod ffordd a dewis ffos.

Roedd y torthau bara brynaist
Yn y Cerrig erbyn hyn
Wedi mwydo'n feddal bwdin
Fel y toddai'r eira gwyn;
Do, bu raid i Enid druan,
Druan bach, a'i hwyneb llwyd,
Er cael benthyg torth i aros
Gan gymdogion Garreg Lwyd.

Maddau i mi arfer atat
Eiriau bryntion, miniog, cas,
A rhoi ffarwél i ti am wythnos
Wedi'th gael at dalcen tas;
Pnawn dydd Sul, cyrhaeddais adre
Drwy y Cwm a'r mynydd du,
Paid â sibrwd gair o'r hanes -
Dyna'n union fel y bu.

30

4. Gwaith Beunyddiol

Ar ôl i Nantw a Min briodi, Maggie a minnau oedd yn dod i'r tresi wedyn. Roedd pawb yn gwneud ei ran yn y tŷ ac ar y fferm, a hynny heb gyflog, dim ond ychydig o bres poced. Ac os oedd eisiau dillad newydd, rhaid oedd eu prynu o un siop yn Rhuthun, Siop Barbara, er mwyn i Tada gael talu am y cwbl gyda siec. Nid oedd yna ryw ddewis mawr yno. Siop trin gwallt yw hi erbyn heddiw.

Roedd gennym tua phedair ar hugain o fuchod godro a'u godro hefo dwylo a wnaem yr adeg honno. Credem fod y gwartheg yn rhoi mwy o laeth wrth i ni ganu. Adeg cynhaeaf, byddai Maggie a minnau yn godro deuddeg yr un. Roedd ambell heffer yn cicio a'r cynffonnau tail fel chwip ar draws ein hwynebau nes roedd fy sbectol i yn chwyrlio i'r llawr carthu. Yna, sepyretio'r llaeth bob bore a nos am dros awr i gael hufen oddi wrth y sgim ar gyfer corddi'r menyn. Dysgodd Maggie a minnau lyfrau'r Beibl ar ein cof ar gyfer cyfarfod bach ym Melin-y-wig wrth droi'r sepyretor. Roedd yn rhaid tynnu'r sepyretor o'i gilydd bob dydd a'i sgaldio'n lân at drannoeth.

Roedd yna ddiwrnod i bopeth, tân dan y bwyler yn y briws ar fore Llun ar gyfer golchi; golchi hefo twb a doli bren, a'u troi a'u stompio yn y dŵr poeth, a styllen i'w rhwbio. Rhoi lliw glas mewn dŵr glân ar ôl eu strelio a *Robin Starch* i stiffio'r lliain bwrdd a choleri'r crysau. Roedd y coleri ar wahân i'r crys yr adeg hynny. Yna, eu manglo oll â mangl fawr bren a'u hongian ar lein hir yn y Cae Cefn. Cofiaf i ni gael peiriant golchi newydd. Jiff oedd ei henw. Troi handlen ar y top a'u codi i'r mangl rwber a'i throi hefo llaw a'r dyn yn dweud, '*You can wash with this in your best clothes.*'

Dydd Mawrth oedd diwrnod casglu tanwydd i'w roi yn y popty mawr yn y briws. Gwnaem ddwy badellaid o does yn barod i'w pobi, a'u gadael am dipyn i chwyddo. Yna eu dosbarthu i duniau hirsgwar, tua naw torth o fara ar unwaith a thorth frith wrth gwrs, a dysglaid o bwdin reis, bron y gallaf ei arogli rŵan. Aros i'r popty gochi cyn eu rhoi i mewn a chau'r drws arnynt am ryw chwarter awr. Yna, eu troi allan o'r tuniau a'u hwyneb i lawr ar y bwrdd mawr gwyn yn y briws.

Ar ddydd Mercher, byddai Mam yn gwneud bara ceirch, rhai tenau a rhai tew, ar radell uwchben y tân. Rhoddai'r rhai tenau ar stôl haearn o flaen y tân i gyrlio a malu'r rhai tew gyda rholbren i wneud shot llaeth enwyn a'i roi mewn brwes Oxo. Ychydig sy'n hoffi llaeth enwyn heddiw. Roedd tatws llaeth yn dda hefyd.

Roedd yn ddiwrnod corddi ar ddydd Iau. Ar ôl i'r hufen geulo yn y pot, rhoddwyd ef ar y pentan a slaten ar ei dop rhag ofn i'r gath fynd iddo. Byddem yn rhoi help bob yn ail i droi'r fuddai nes byddai'r gwydr bach ar y caead yn glir. Yna, byddai Mam, rhan amlaf nes inni ddeall ein gwaith, yn codi'r menyn o'r fuddai i'r noe bren gan roi halen arno a'i chwipio am yn hir i gael y llaeth ohono. Yna, ei wneud yn bwysi gan roi'r pwysau pren arno a gwneud llun blodyn arno a'u rhoi mewn cist bren bwrpasol i'w gwerthu i Siop Borthyn, Rhuthun. 'Doedd dim yn well na chrystyn a brechdan a menyn ffres arni.

Ar ddydd Gwener, rhaid oedd blacledio'r hen rât fawr ddu, glanhau'r canwyllbrennau pres a'r stôl haearn a'r ffendar. Glanhau llawr y gegin orau gyda 'Ronuck' a'r bwrdd mawr hir a'r dodrefn. Glanhau'r llofftydd a'r lloriau derw oedd â mat wrth y gwely yn unig. Troi'r gwlâu plu trosodd, ysgwyd y gwrthbannau trymion. Dim ond brws a mop a dystar oedd gennym yr adeg hynny, dim *hoover* na *fitted carpet* fel heddiw. Casglu priciau a glo i'r tŷ cyn iddi dywyllu a hollti coed er mwyn cael tanllwyth at fin nos. Llenwi'r lampau gyda pharaffin a glanhau'r gwydrau a'r lanteri er mwyn cael golau yn y côr i odro. Nid oedd sôn am drydan y dyddiau hynny.

Dyma ran o'r gwaith beunyddiol oedd raid ei wneud. Y ni'r merched fyddai'n golchi'r llestri bob amser. Ni feiddiem weld Mam yn y sinc, credem y byddai hyn yn ei bychanu. Nid oedd gennym ddŵr oer yn y tŷ am rai blynyddoedd. Cario dŵr o'r tap hefo bwced i'r bwyler bach yn y grât, a'i godi hefo jwg i olchi'r llestri a'r celfi godro. Edrychem ymlaen am eistedd wrth danllwyth o dân yn y gaeaf. Braf oedd clywed y gwynt yn chwibanu yn nhwll y clo a'r eira'n chwipio'r ffenestri.

Dim teledu na radio, ond byddem yn diddanu ein hunain trwy chwarae gemau, canu o'r Detholiad o gylch y piano neu'r delyn ac edrych ymlaen bob mis am 'Cymru'r Plant' a'r 'Drysorfa', 'Y Cymro', 'Y Faner', 'Seren' a'r 'Goleuad'. Dim papurau dyddiol ac erchylltra bywyd ynddynt. Cofiaf y radio gyntaf a gawsom, radio hefo batri gwlyb *His Masters Voice*. Un bore Sul, cofiaf y radio yn mygu pan oedd pregeth arni, Tada wedi gwylltio ac yn dweud mai melltith ydoedd. Roedd o am ei lluchio i'r ardd yn hytrach na throi'r nobyn i ffwrdd.

Cofiaf y newyddion gan *Alvalidel* a chyhoeddi'r rhyfel a'r *Lord Ho Ho* hefyd. Adeg digon pryderus pan oedd llanciau yn cael eu galw i fyny. Roedd rhai yn gorfod mynd i'r *Home Guard*. Gwelem y goleuadau yn yr awyr a'r bomiau yn Lerpwl. Gwyddem am sŵn y *German Aeroplanes* yn dod trosodd. Roedd eu sŵn yn wahanol i'n rhai ni. Byddem yn mynd i guddio dan y grisiau. Roedd yn rhaid i bawb roi mwgwd du ar y ffenestri rhag iddynt weld golau. Daeth *Landmine* i lawr ar y mynydd wrth Cefn Rofft ar noson Eisteddfod y Calan yn Llanfihangel nes roedd yn ysgwyd pobman. Mae'n siŵr iddynt weld goleuadau. Roedd Tada a Mam yn poeni amdanom mor hwyr yn dod adref.

Daeth y gwerthu llaeth i rym a hir y bu Tada yn dygymod â'i werthu ar y Sul. Credai ei fod yn pechu wrth ei werthu ar y Sul, ac felly, roedd yn ei gadw mewn dŵr oer tan ddydd Llun.

Roedd diwrnod cneifio yn ddiwrnod mawr gennym. Price gyda'i gŵn a help eraill o'r cylch yn dod â'r defaid o'r mynydd, sy'n goedwig erbyn heddiw. Cneifio gyda gwelleifiau a wnaed wrth gwrs. Diwrnod i ymgynnull gyda hen ffrindiau, rhai yn dod gyda merlen a thrap o ochr Cyffylliog, hen ffrindiau i Tada, rhai o Felin-y-wig, William o'r Clegir, Ellis Bryn Halen a Davies Bryn Mawndy, rhai o golofnau Melin-y-wig. Roedd y straeon i'w clywed rhwng clecian y gwelleifiau, a'r wledd yn rhan bwysig o'r diwrnod.

Dyma englyn rwy'n hoff ohoni o waith Dafydd Williams, Tŷ Cerrig, Cwmtirmynach, tad Jac a Seu:

Oer annedd mewn tir unig - a'i llidiart
  Mor llwydaidd â'i cherrig,
  Ynddi'n glau rhwng deddfau dig
  Symudai gyr siomedig.

Diwrnod mawr arall oedd diwrnod dyrnu. Paratoi mawr, yr injian ddyrnu yn symud yno'r noson cynt a'r peirianwyr, Jac a'i frawd, Seu o Gwmtirmynach yn cysgu am ddwy noson. Roedd hyn cyn i Jac ddod i weithio i Bencraig. Fe fyddai Willis o Gerrigydrudion a rhai o'r cylch fel Bob Bryn Celyn, Emwt Pant Dedwydd, a Gwilym Bodtegir, a llawer o rai eraill yn aros am hwyl ar ôl swper. Cofiaf Jac yn dweud mai hen injan golew oedd Barbara. Barbara oedd enw gwraig Thomas Jones, Nant y Geuryd hefyd. Gweithiai Thomas Jones ym Mhencraig a rhyw hwyl fel yna oedd i'w gael. Jac a Seu yn aros dros nos a Jac yn gweiddi ar Maggie a minnau i fynd i'r llofft pan oeddynt ar fynd i'w gwelyau. Yno roedd Seu heb fawr amdano a Seu druan yn hwthio dan y gwely ac yn gweiddi, 'Paid Jac fy mrawd, paid Jac fy mrawd!' Dim sôn am byjamas y dyddiau hynny. Byddai Jac a Seu yn symud o fferm i fferm ac yn canlyn y peiriant dyrnu bryd hynny gan aros yn Pencraig dros nos a thua'r adeg yma y daeth Jac a Dei Sam i aros i Bencraig i weithio.

Rwy'n cofio Huw Hughes o Porth y Dre, Rhuthun yn aros gyda ni i sortio swêj a mân waith o gylch y fferm. Gŵr canol oed, tawel a doniol. Roedd o'n mynd ar ei liniau wrth ei wely i ddweud ei bader bob nos a'r hogie yn cosi ei draed. Nid oedd hynny yn hwyl o gwbl, 'Ymyrryd ag o a'r Brenin mawr,' meddai Huw Huws.

Minnau yn cwyno fod Tada yn poeri ar ben y stôl haearn a'r ffendar ryw fin nos a Huw Huws yn dweud hanes am ryw wraig yn dweud wrth ei gŵr, 'Paid â phoeri i bob man wnei di!' 'Wel,' meddai'r hen ŵr wrthi, 'mi boerai o i dy geg di ac mi gei di boeri i ble leici di!' Roedd Huw Huws yn dipyn o fardd hefyd. Tybed a oes rhai o'i deulu yn fyw heddiw?

Diwrnod lladd mochyn sy'n aros yn fy nghof o hyd. Credwn ei fod yn greulon ei besgi ac yna ei ladd. Dyma un cigydd hawdd ei gofio, sef Dafydd Roberts, Ty'n Celyn, Llanfihangel. Gŵr hamddenol a ffraeth, yn pwyso ar ei gam a chyda rhyw ddywediad ar ganol siarad, 'Wel! Damitw,' meddai.

Cynhafal o'r Glasgoed, Melin-y-wig oedd y llall. Un llawn hwyl ac yn herllyd. Byddai'n rhedeg ar fy ôl gan geisio fy nal i fynd i weld y mochyn yn hongian yn y briws. Gwyddai fod gennyf ofn. Byddent yn dod â'r mochyn i mewn trwy ddrws y bwtri, sef lle golchi llestri, i'r briws a'r mochyn druan yn gweiddi dros y lle. Roedd Mam yn mynd i ddal y gwaed mewn bwced a'i droi hefo llwy bren rhag iddo geulo. Roedd yn malu nionyn a rhoi pupur a halen ynddo mewn dysgl bridd yn y popty. Roeddynt yn sgaldio'r mochyn er mwyn sgrafellu'r blew i ffwrdd a'i hongian â'i ben i lawr wrth y dist. Yna, tynnu ei du mewn allan ar ôl iddo oeri. I swper, caem iau mochyn hefo nionyn wedi ei wneud ar y badell ffrio ar y tân. Roedd y grefi mor flasus hefo stomp swêj. Roeddem yn bwyta'r porc yn boeth ac roedd Tada yn rhannu peth ohono i'r cymdogion. Gwnâi Mam brôn o'r pen hefyd, ei ferwi yn y bwyler, tynnu'r cig oddi ar yr esgyrn, a'i gymysgu hefo'i dwylo hefo pupur a halen a'i roi mewn dysgl a phlât ar ei ben, a phwysau arno. Byddai'n ei droi allan ymhen ychydig ddyddiau ac fe fyddai'n torri fel brechdan. Roedd yn flasus i swper hefo picl a mwstard.

Deuai Owen Owens, Maes Cadw yno i wneud sosejys o'r perfedd ar ôl ei lanhau yn lân, a halltu'r darnau eraill, eu rhwbio'n dda hefo halen a'u rhoi mewn halen i sefyll am yn hir. Yna tynnu'r halen a'i lanhau a'i hongian ar ddist uwchben y llawr. Doedd dim byd tebyg i fwyd cartref!

Er nad oedd peiriannau modern ar gyfer y cynhaeaf, ni chofiaf i ni fethu â chael y cynhaeaf i mewn. Ni fyddai neb yn gweithio ar y Sul oni bai fod raid. Pladuriau, picweirch a chribin fach, y chwalwr a chribin fawr. Yn y bore, hogi'r cyllyll i'r torrwr gwair a gâi ei dynnu gan geffylau. Cribin fawr i'w rencio, mydylu'r gwair yn sypiau bach, yna daeth yr heulogydd i fod. Cario'r gwair gyda throl ac ofergyfane arni neu lori yn cael ei thynnu gan geffylau. Roeddem yn gorfod mynd i'r sied neu'r daflod i wthio'r gwair dan y distiau - lle poeth ac arogl cryf ar y gwair. Byddwn wrth fy modd yn mynd â the i'r cae, tynied o siot, sef bara ceirch mewn llaeth enwyn a chael y pleser o fwydo'r ceffylau tra roedd y lleill yn bwyta.

Yna, daeth prysurdeb y cynhaeaf ŷd. Agorai y dynion rownd y cae hefo pladuriau a thorri'r gweddill gydag injan fach. Yna, daeth y dillifar - hon oedd yn rhwymo'r ysgubau a'u gollwng ar hyd y cae. Byddai rhai wrthi'n eu codi yn sypiau o bedwar neu chwech, eu cario gyda wagen i'r ydlan, gwneud tas ohonynt a'u toi nes y deuai'n ddiwrnod dyrnu. Roedd pawb yn cadw dydd diolchgarwch fel dydd Sul a byddai'r capel yn orlawn gyda'r gwasanaeth o ddiolch ymlaen drwy'r dydd.

Byddai Mam yn cadw ymwelwyr yn yr haf, tua naw hefo'i gilydd weithiau. Deuai'r Warings o Lerpwl, tad a mam a dau o blant, Jenny a John. Cadw siop dillad dynion yr oeddent. Hefyd, Mr a Mrs Johnson o Lerpwl yn cadw siop dillad bechgyn ysgol. Roedd tri o blant ganddynt hwy. Roedd y plant yn mynd i'r cafn ar dop y buarth i ymolchi ac wrth eu bodd. 'Doedd dim ystafell ymolchi, wrth gwrs. Dim stôf na thegell trydan. Bwyd cartref i gyd. Bob gwyliau haf neu'r gaeaf, byddai Mr a Mrs Thomas o Brymbo yn dod. Prifathro oedd ef ac yn chwarae'r *pipe organ* yn y capel bob Sul ym Mrymbo. Roedd o wrth ei fodd yn saethu cwningod hefo Tada. Roedd Mr a Mrs Jones o Lerpwl yn dod hefyd. Roeddent hwy yn Gymry ac yn hoff o ganu emynau. Cofiaf am un gân, sef 'Hen Afon yr Iorddonen'. Tybed a oes rhywun yn gwybod amdani? Dyma un pennill sydd wedi aros yn fy nghof:

Hen afon yr Iorddonen, rhaid imi groesi hon
Wrth feddwl am ei dyfnder, mae arswyd dan fy mron,
Ond im gael nabod Iesu a'n carodd ni erioed,
Af drwyddi'n ddigon tawel a'r gwaelod dan fy nhroed.

Roedd gan Mam hiraeth ar eu holau, er cymaint o waith oedd

gennym rhwng y gweithwyr hefyd a hithau heb stof drydan na thecell, dim ond un du wrth ben y tân.

Ni fyddem yn mynd ar wyliau rhyw lawer, ond cofiaf i ni fynd i Ben y Bryniau am benwythnos at daid a nain Trebor Edwards. Cawsem groeso mawr yno bob amser. Roedd Clement Jones yn perthyn i Feibion Min yr Alwen o'r Betws a Dei, fy mrawd, yn eu harwain. Ysgrifennais benillion pan oedd y parti yn ffarwelio â Mr a Mrs Clement Jones ar eu hymddeoliad i Ddinbych:

> Mae'n bleser cael canu am un o'r hen fro
> A aeth am y Dyffryn o ardal y Gro,
> Bu'n selog i barti Min Alwen yn wir,
> A chofiwn amdano yn canu yn hir;
> Bu'n gefn ac yn gymorth i'r parti bob tro,
> Ond daw atom eto i ganu'n ei dro.
>
> Bu'n ennill i'r Dyffryn a cholled i ni,
> A'r Parti yn canu, 'O aros gyda mi',
> Nid oedd dim dylanwad er hyned y gân -
> Ca'dd fwthyn bach cynnes a thanllwyth o dân;
> Ni fu ganddo hiraeth rôl gadael y fro -
> Roedd Mag wrth ei ochr yn gysur bob tro.
>
> Fe ddeil 'Hen Atgofion' i'w canu o hyd,
> Atgofion am Betws i'r Parti i gyd;
> Ond daw yr hen ffrindiau i lawr yn eu tro
> I gadw'r cysylltiad a'r ardal mewn co';
> Tra deil afon Alwen i redeg i'r pant -
> Fe erys eich talent o hyd yn y plant.
>
> Nid nos i ffarwelio yw hon, coeliwch ni,
> Ond noson i ddiolch am hyn wnaethoch chwi,
> Dymunwn o galon hir oes i chwi'ch dau
> A daliwch i ganu tra'r llais yn parhau;
> Bydd croeso'n eich disgwyl yng Nghapel y Gro
> Pan ddeuwch ar wyliau i'r ardal am dro.

Roedd gennym ddau gymeriad yn aros gyda ni ym Mhencraig, Jack o Gwmtirmynach a Dei Sam o Ddinmael. Rwy'n cofio Mam yn gofyn i Dei a fuasai'n picied ar ei feic i siop Glanaber, Betws i nôl *Camforated Oil* iddi rwbio ei brest at yr annwyd. Daeth Dei yn ôl a'i wynt yn ei ddwrn ac yn cario *Methylated Spirit!*

Un diwrnod, roedd Dei yn meddwl iddo fy ngweld yn bwydo'r moch bach ac fe gaeodd ddrws y cwt. Ymhen rhawg, dyma fo'n fy ngweld yn cerdded ar y buarth. Rhoddodd ras ar unwaith at y cwt moch lle'r oedd Mam wedi ei chau i mewn! Roedd ei wyneb fel lliain.

Roedd Tada yn arw am saethu ac fe gadwai'r gwn ar dop y llawr yn hongian wrth y dist. Un diwrnod, gafaelodd ynddo, ond er ei fraw, daeth y stoc i ffwrdd. Wel! Dyna helynt a neb am gyfaddef pwy a'i torrodd. Mewn rhai dyddiau, daeth penillion i Tada a datgelwyd y gyfrinach am y gwn.

CERDD GOFFA AM SHEP Y CIGLAS
derfynodd ei einioes am resymau digonol trwy
ddienyddiad
(Profiad Enoch Evans)

Mae 'nghyfeillion adre'n myned
O fy mlaen o un i un
Gan fy ngadael yn amddifad
Fel pererin wrtho'i hun.

Roedd ciglas harddaf Cymru
Ar ffermdy Pencraig Fawr,
Mae'n brudd-der i'w ryfeddu
Am nad yw yno'n awr.

Fe droediodd Gymru gyfan
Am eist o dro i dro,
A llawer dyn fu'n holi
Am gael ei *stud-book* o.

Un hoff o fwyta byrgyn
Na welwyd 'rioed ei fath,
Doi'r gweision rhag ei sawyr
Ddim nes nag ugain llath.

Roedd daliad ar un llygad,
A phalltod ar ei glyw,
Mae hiraeth lond ein calon
Am nad yw heddyw'n fyw.

Oherwydd maint y caglau
A lynai wrth ei gwt,
Bu'n orfod rhag cynthroni
Ei gwneud yn gynffon bwt.

Bu'n gyfaill pur a ffyddlon
I Enoc Evans, do,
A chariodd aml 'gwningen
I'w feistr lawer tro.

Ond heddyw, llai yw'r helfa
Rôl colli yr hen Shep,
A dychwel wna y potsiar
A'r dagrau ar ei wep.

Brawychwyd aelwyd Pencraig
Dydd Gwener, meddent hwy
Â'r newydd torcalonnus
Fod Shep o dan ei glwy.

Y ci fu gynt mor heini
Hyd gaeau Pencraig Fawr
Yn llonydd ar ei wely
Yn syllu tua'r llawr.

Ei goesau wedi fferru,
A'i lygaid bron a chau,
Heb awydd yr un burgyn,
Boed wydn neu boed frau.

Rhoi'r ddedfryd i'w berchennog
Oedd boenus iawn, mi wn,
Ei ddienyddio'n sydyn
Fel *Goaring* gyda gwn.

Caed hyd i *engineer*
I'r gwaith, ni wn paham,
A chrynu fel y gograu
Wnâi coesau 'rhen Dei Sam.

A Dei a ddwedodd wrtho
A bron a mynd i sioc
Mi'th laddaf efo'r faril
Os methais hefo'r stoc.

Fe 'nelodd am ei galon
A chafodd ergyd drom
A seiliau'r tŷ yn crynu
Fel pe disgynnai bom.

Y ci yn gelain lonydd
A'i waed yn rhuddo'r llawr,
Fu 'rioed gywirach galar
Ar ffermdy Pencraig Fawr.

Ac os oedd prinder *coupons*
I wisgo pawb mewn du,
Ca'dd arwyl tywysogaidd
Wrth gychwyn ger y tŷ.

'Rhen Enoch yn ei ddagrau,
Dei Sam yn syn ei wedd,
A'r merched oll yn wylo,
Rhoi'r ciglas yn ei fedd.

Gorchuddiwyd holl ffenestri
Y cytiau gan y gwas,
A llymach yw y sgubor
'Rôl colli'r hen gi glas.

Er nad oedd *undertaker*,
Na saer i lunio'i arch,
Na modur yn ei arwyl,
Ca'dd angladd llawn o barch.

Pan ewch am dro i'r fangre -
(Os byddwch byw ac iach),
Rhowch flodyn ar ei feddrod
Yng ngheunant Pencraig Bach.

Y Tri Cydymdeimlwr
(Robert Jones a Trebor, Traian, Llanfihangel a Jack Pencraig)

Roedd gan Jac fotor-beic. Ar ôl y rhyfel, roedd prinder petrol ac fe gafodd Jac ffurflen i'w llenwi. Roedd y ffurflen yn Saesneg wrth gwrs, ac yn gofyn i beth oedd o eisiau 'chwaneg o betrol. *'Such as Courting,'* meddai Jac arni. Does dim cof gennyf a gafodd o 'chwaneg o betrol ai peidio. Cofiaf hefyd amdano yn methu cerdded oherwydd bod bys ei droed yn casglu. Galwyd ar Dr Ifor Davies, Cerrig i'w olwg ac fe ddaeth W O Jones, y ffarier o Lanrwst, yno i olwg y stalwyn. Cnoi oedd arno fo. Yr un pryd, roedd Tecwyn Lloyd wedi dod i aros i Bencraig ar ôl darlithio mewn *watchnight* ym Melin-y-wig. Roedd yn mynd i Eisteddfod Calan Llanfihangel drannoeth i feirniadu ac roedd Jack hefyd wedi bwriadu mynd yno. Wel! Dyna i chi dri o rai da hefo'i gilydd yn dweud pob math o bethau uwchben troed Jack. Roedd hwnnw yn poeni mwy am gael mynd i'r eisteddfod nag a oedd am y bys, ac yn golchi'r bys agosaf ato! Ond aros adref fu raid iddo. Dyma benillion a wnaeth Tecwyn Lloyd iddo'n syth:

CWYN Y WAGNAR AR NOS CALAN

Rwyf yma fy hunan yn flin ar nos calan
A'm troed mewn yslipan wrth bentan rwy'n byw,
Mae'r lats a'r genethod bob un ar ddisberod
Cyfeirio i'r cyfarfod wnânt heno.

Och im fod fy hunan, wyf trwm ac wyf truan ,
Yn ymladd yn filain a'r felan fawr flin
A'r corn melltigedig yn fy mhoeni'n drybeilig
A phigiadau dieflig diflin!

Beth rown am fod yno, yn canu'n lle cwyno?
Yn caru'n lle curio a thendio y tân,
Rhown aur yr holl fydoedd am weld Dori'r Ffrithoedd
Hardd ydoedd: mae heno ei hunan!

Mor dirion yw Dori, mor hynaws a heini,
Mae'i geiriau'n gwirioni fy mhen i yn hir
Gâi wiwlan ddiddanwch, oherwydd ei harddwch
Mae bri ei hyfrydwch drwy'i frodir.

Pe bawn i yn angel, awn i Lanfihangel
Fel ergyd ddiargel drwy awel y nos,
Ond araf yw'r clociau a maith yw'r munudau –
Mae eto rai oriau i aros!

Bydd Ellen a Blodwen a'r fwyn Fari Dolben
Yn drist ac aflawen, heb fy winc gymen gu;
Lats eraill gânt heno, bid siŵr, fe fydd yno
Rai wedi eu gerio i garu.

Wel! Naw melltith daear ar y Doctor a'r Ffarier
A'm gorchmynnodd mor glaear i forol fy mriw,
Nid bywyd mor bywyd di-hwyl, diddyhewyd,
Blin bywyd, nid hawddfyd gaf heddiw.

Dyma benillion eraill a wnaed i Tada a Lewis Edwards, Bodtegir
pan aethant i sêl ym Mryn Eryr i brynu heffrod. Roedd Lewis
Edwards yn flaenor fel y gwelwch yn y penillion. Llwyd o'r Bryn
sy'n cael y bai am y rhain hefyd.

EDIFEIRWCH SÊL BRYN ERYR
Dau ffermwr pwysig, dau â mwstash,
Dau fedrai fforddio torri peth *dash*
Y ddau yn Gynghorwyr eiddgar eu barn
Mae un yn flaenor ac mae'r llall yn ddarn.

Sêl ym Mryn Eryr ar bedigri stoc
Bustych a heffrod, rhai coch a rhai broc,
Tair heffer raenus yn troi yn y *ring*
A'r *cowman* yn chwerthin o gornel y bing.

Winciodd y blaenor fel dwn i ddim be,
Winciodd yr hanner a hanner y dde,
Wincio y buont dros aml i bunt
A'r gwerthwr yn cyfrif ar golli ei wynt.

Fe gododd y morthwyl rhwng daear a nen
Gan ddisgwyl yn ddyfal am winc yr Amen,
O'r diwedd disgynnodd yn hynod ddi-lol,
A'r heffrod yn gollwng peth dŵr dan y bol!

Roedd gennym bren eirin yn yr ardd o flaen drws y peti, y tŷ
bach. Un twll mawr ac un bach a ffos yn rhedeg oddi tano. Digon
oer yn y gaeaf, coeliwch fi! Un diwrnod, pan oedd Alun Williams,
y gweinidog, wedi galw i'n gweld, dyma Jack i'r tŷ i ddweud bod

ceiliog yn hongian rhwng dwy gangen o'r pren eirin o flaen y peti, ac wedi tagu. 'Wel, hen dro,' meddai'r gweinidog a dyma Jack yn dweud ei fod o mewn trwbl hefo hen iâr fawr goch oedd ar y buarth. Hwyl ddiniwed ac Alun Williams yn rholio chwerthin.

Amser dewis blaenoriaid, rwy'n cofio Jack yn dod i'r capel. 'Doedd hynny ddim yn aml. Dyma un o'r blaenoriaid yn gofyn iddo ledio'r emyn olaf. Agorodd Jack ei lyfr emynau a darllen rhes o benillion gyda llinell olaf pob pennill yn dweud 'Gweddi a mawl sy'n gweddu i mi' â'i lais yn crynu erbyn darllen y pennill olaf. 'Siawns y ca'i fynd yn flaenor rŵan,' meddai ar ôl eistedd.

Cofiaf amdano yn gorffen limrig yng nghyfarfod bach yn Betws, gyda phawb wedi cymryd mai sôn am y plismon oedd y limrig, ond fe gymerodd Jac mai sôn am nyrs yr oedd ac fe gafodd gyntaf:

> Roedd rhywun ar gornel y pentre
> Cyn toriad y wawr yn y bore
>   Mewn siwt nefi blŵ
>   Yn siŵr, medde nhw
> Fod hi'n halibalŵ yn rhywle.

Dro arall, roedd Bob Owen, Croesor wedi bod yn darlithio ym Melin-y-wig ac wedi dod i aros dros nos ac roedd W O Jones, y Ffarier o Lanrwst, wedi dod i olwg y stalwyn coch. Roedd gennym ddau stalwyn, un coch ac un glas. Buom ar ein traed tan oriau mân y bore yn gwrando ar Bob Owen yn dweud straeon, ambell un ddigon bachog!

Do, bu llawer o fynd a dod yno fel y disgrifiodd ffrind i ni, Meirion Davies, Y Fron, Prion, fod Pencraig fel cwch gwenyn.

5. Priodi a Magu Teulu

Fe briodwyd John a minnau yng Nghapel Bethania, Rhuthun ar Dachwedd 30ain, 1946, gyda'r Parch. Alun Williams, Y Gro a'r Parch. J R Jones, Llanfihangel yn gwasanaethu, gyda'r wledd briodasol mewn gwesty yn nhref Rhuthun. Roedd Tada wedi trefnu i ni dreulio wythnos ar ein mis mêl yn Nhyddyn Isa, Penrhyndeudraeth, a daeth Mam ac yntau am dro yno yn nhacsi Bob y Garej, Cerrig! Dafydd Lloyd a'i fab, Bleddyn, oedd yn byw yno. Roedd Dafydd Lloyd yn perthyn o bell i Tada. Gŵr hamddenol a chroesawgar ydoedd, bob amser yn eistedd yn ei gadair freichiau yn tynnu mwg o'i bibell gam. Roedd ganddynt *housekeeper*, Mrs Stephens ac roedd hithau'n groesawgar iawn. Un peth sy'n sefyll yn y cof oedd y brecwast bore drannoeth. Llond bowlen fawr o fara llefrith i John, a bacwn ac ŵy, a thost a marmalêd. Cas beth gan John oedd bara llefrith ond fe'i bwytaodd i gyd, er hynny! Hyd heddiw, ni wyddom os mai jôc oedd y bara llefrith neu a oedd yn gweld John yn edrych yn ddrwg ac eisiau nerth! Roedd Tyddyn Isa wedi ei leoli yn ganolog iawn ac aethom i gyfarfod pregethu i'r capel yn Penrhyn hefo Bleddyn. Ni chofiwn ddim o'r bregeth na phwy oedd yn pregethu ond fe ddaeth yn storm o fellt a tharanau mawr cyn troi yn ôl. Buom yn y chwarel yn Ffestiniog, yng Nghastell Harlech a gweld ffrindiau ym Maentwrog. Aethom i swper hefo Bleddyn i Aelwyd y Gesail. Cofiaf ysgrifennu adref a Tada wedi camddeall fy ysgrifen ac yn meddwl mai cesail John oeddwn yn feddwl. Daethom adref ar y *slow train* i Gorwen i gyfarfod Tada ac yna i Bencraig lle buom fyw am ychydig wedi'r briodas, gyda John yn gweithio hefo'r ceffylau.

Diwrnod nas anghofiaf byth oedd diwrnod sêl Pencraig a chwalu'r cartref. Gwerthwyd y lle i Mr Baldwyn ac fe briododd o â Helen Thomas, Yr Hand, Betws. Bu Price a Mattie yn edrych ar ôl Pencraig am ychydig nes daeth Mr Baldwyn yno i fyw. Fe briododd Maggie a Merddin a symud i Hafodty Bach, Pentrefoelas a symudodd John a minnau i dŷ Cyngor yn Llanfihangel. Preswylfa oedd ei enw. Roedd John yn gweithio erbyn hyn ym Modtegir hefo Lewis Edwards. Dim ond Alwena oedd wedi ei geni bryd hynny. Pedair punt a'n llaeth o gyflog a saith swllt yr wythnos o rent. Er bod y cyflog yn fach, cawsom amser difyr gyda Pharti Meibion Min yr Alwen, Llanfihangel gyda Robert Jones y Traian yn eu harwain bryd hynny. Cymeriad nas anghofiwn byth.

Cymeriad arall oedd Huw Tŷ Ucha. Byddai'n pasio ein tŷ ni i fynd i'r capel. Ar fore Sul yr âi gan amlaf. 'Mynd i'r capel yn fore iawn Huw?' medde ni wrtho. 'Mae prydlondeb yn cyfrif llawer,' atebodd yntau. Hanesyn arall amdano oedd pan oeddem yn cadw cyngerdd ym Mryncrug, Tywyn, Meirionnydd. Roedd Huw yn aelod o Barti Min yr Alwen. Nid oedd drws i fynd allan yng nghefn y neuadd ac roedd Huw bron byrstio eisiau pasio dŵr. Tra roedd Robert Jones a minnau ar y llwyfan, a thra roedd y gynulleidfa'n clapio, roedd yr hogiau yn rhedeg tap i'r sinc, ond gwaetha'r modd roedd Huw yn rhy fyr i gyrraedd y sinc! Gorfu iddynt roi rhywbeth o dan ei draed. Ie, clic direidus oeddent ar brydiau. Tipyn o newid oedd gadael yr hen barti a'r llan.

Oddi yno, aethom i fyw i Fryn Amlwg, tyddyn unig rhwng Nantglyn, Groes a Dinbych. Gweithio hefo Capten Burton ar ffatrm Brodlês, ger Dinbych, yr oedd John bryd hynny am wyth bunt yr wythnos a'r tŷ am ddim.

Daeth Myfyr i'r byd tra'r oeddem yn byw ym Mryn Amlwg. Ganed ef yn Ysbyty Dinbych a'r meddyg bryd hynny oedd Dr Gwyn Thomas. I'r ysgol yn Nantglyn yr âi Alwena ac roedd ganddi athrawes wych, sef Miss Davies, Plas Nantglyn, ac roedd yn galw heibio Enid Egryn i fynd i'r ysgol. Dyma deulu sy'n dal yn ffrindiau â ni o hyd, a chyda Mr a Mrs Bibby o fferm arall gyfagos, Y Fach. I Gapel y Groes yr aem ac roedd parti yn uno yno i ganu penillion ac yn dod i ymarfer i Fryn Amlwg. Roedd rhyw ysfa canu ynom waeth i ble yr aem, ac mae gennym lawer o ffrindiau o'r Groes hyd heddiw. Roeddem yn ffrindiau mawr hefyd ag ysgolfeistr Ysgol Rhydgaled a'i wraig, sef John a Ceridwen Hughes, dau o'r un enw â ni!

Dyma yr adeg pan gefais alwad i fynd i'r Brithdir at Tada gan fod Mam yn wael. Ar Ragfyr 22ain, 1953 bu farw Mam a'r un noson, clywsom ein bod wedi cael Llys Dinmael. Cynhaliwyd angladd fy Mam yn Melin-y-wig ar ddydd Nadolig. Dyma benillion a wnes i gofio Mam ar y gân *'Mother of Mine'*. Nid wyf yn honni bod yn fardd ond rwy'n hoff o roi fy meddwl ar gân.

Cofiaf fy Mam, fe'i cofiaf o hyd,
Cofiaf fy nghartref lle'm magwyd mewn crud,
Cofiaf y fan bûm yn blentyn di-nam,
Cofio lle troediais i gam.

Cofiaf yr aelwyd mor ddifyr a glân,
Eistedd a wnaem wrth danllwyth mawr o dân,
Canem emynau hen Gymru lân
Dysgem aml gân.

Cofiaf fy Mam mor ieuanc a llon,
Nid oedd neb arall yn debyg i hon,
Cofiaf amdani mor llawen ei byd,
Cofiaf, o cofiaf o hyd.

Diolch am gartref a thylwyth a thân,
Diolch am fyw o hyd yng Nghymru lân,
Diolch am ffrindiau, am fam ac am dad,
Diolch sydd yn rhy rad.

Diolch i Dduw am ei gariad i'r byd,
Diolch i Dduw am fendithion o hyd,
Diolch wrth gofio am aberth y groes,
Diolch a wnawn drwy'n hoes.

Symudom i ffermio i Lys Dinmael Isa, Dinmael ger Corwen wedi hynny ac yno y ganed y pedwar plentyn arall. Mr Jones, Yr Hafod, Corwen oedd ein landlord ac R O G Williams oedd ein gweinidog. Roedd o'n saer da. Rwy'n cofio mynd â'r delyn ar focs y tractor iddo ei thrwsio ac fe wnaeth waelod i'r delyn o gadair *commode;* soniwyd llawer am hynny!

Bu John yn canu'r geiriau hyn ar y gainc 'Cadair Idris' ar ymadawiad y Parch R. O. G. Williams a'r Teulu o Ddinmael.

Ffarwelio wnawn ond nid am byth,
A'r teulu bach yn newid nyth,
Newid praidd a newid lle
I hau'r Efengyl mae efe,
Erys ôl ei lafur maith
Ar blant yr eglwys ar eu taith,
Ac nis anghofiwn tra bo'm byw
Ei lais yn traethu geiriau Duw.

Rhown glod a diolch nawr i chwi
Am bob cynorthwy gawsom ni,
Mewn gair a gweithred, gwnaethoch ran
I geisio cynorthwyo'r gwan,
Y llesg a'r claf methedig rai,
Ni fu eich cyfran ronyn llai,
Rhoes inni nerth mewn stormydd croes,
Gan ddangos inni werth y groes.

Llawenydd mawr, llawenydd fydd
I chwi sy'n gweithio 'ngolau ffydd,
Boed bendith ar eich aelwyd lân
A phawb yn ddedwydd ger y tân;
Iechyd a hoen am flwyddi maith
A llwyddiant fyddo ar eich gwaith,
Atgofion fydd o hyd yn fyw
O'r teulu bach fu wrth y llyw.

Yn rhyfedd iawn, daeth Dei Sam a fu'n gweithio gyda ni ym Mhencraig, i fyw i'r ffarm agosaf inni yn Ninmael. Ty'n Twll oedd ei hen gartref ac fe briododd ag Enid o Glawddnewydd a chawsant bedwar o blant. Roedd rhai ohonynt yn cydgerdded i Ysgol Dinmael gyda'n plant ni. Pan fyddai Dei yn dod draw atom am

Priodas Tada a Mam

*Cefn Iwrch Bach, Cyffylliog, cartref Tada,
a chartref y teulu tra'n magu'r plant i gyd.*

49

*Dafydd ar y ferlen a Bill yn twyso, Price ar y ferlen arall gyda Tada,
Doll (a fu farw yn 9 oed) a Nantw wrth y giat fach, a Mam a Min gerllaw.*

Plant Ysgol Cyffylliog - Price yw'r pedwerydd o'r chwith yn y rhes gefn

Pencraig Fawr

Tada ar y buarth hefo'r tarw ym Mhencraig

Mam a fi yn bwydo'r cŵn bach ar fuarth Pencraig

Teulu Pencraig Fawr yn eu dillad gwaith ac Eirwen fach ar lin Mam

Price, oedd â dawn arbennig gyda chŵn defaid

Bill a Dei hefo'r ceffylau a David Emlyn o Gyffylliog hefo'r ci
wedi dod i aros i Bencraig o'r coleg i bregethu

Plant Ysgol Melin-y-wig pan oedd John Evans yn brifathro, ac Enid y Garth a
Jean o Glyndyfrdwy yn athrawon yno. Rhes gefn (o'r chwith): Enid; Jean;
Lewis Evans; Ifor; John Gruffydd; Bob William; Olie; Glyn a Dwalad; a John
Evans. Ail res o'r cefn: Olwen: Beti; Phyllis; Maggie (fy chwaer); Charlotte;
Kate: Mary Austin; Mary Dolben; Mair Ystrad. Trydedd rhes o'r cefn: Olwen;
Nelw; Ceri; Lisabeth; Frances; Megan; Lena; Morfydd; Glenys. Pedwerydd
rhes o'r cefn: ?; ?; Emrys; Iorwerth. Rhes flaen: ?: ?; Isaac Dolben; James
Austin; Tecwyn; Percy; ?; ?; Bob Pen Bryn; ?.

Teulu Pencraig Fawr yn ddiweddarach, ar ddiwrnod priodas Maggie

Llun mwy diweddar o blant Ysgol Melin-y-wig pan oedd Tom Evans yn brifathro, a Jean o Glyndyfrdwy yn athrawes yno. Rhes gefn (o'r chwith): Jean; Emrys; Iorwerth; Bob; Glyn; Dwalad; David John; Isaac. Ail res o'r cefn: Lisabeth; Phyllis; Olwen; Maggie (fy chwaer); Mary Austin; Mary Dolben; Beti; Frances; Ceri. Trydedd rhes o'r cefn: Bessie; Glenys; Lily; Megan; Lena; Morfydd; Nelw; Olwen; Enid; Glenys. Rhes flaen: Tecwyn; Morris; Percy; Cyril; James; Iowerth; Meirion; Stanton; a Bobbie.

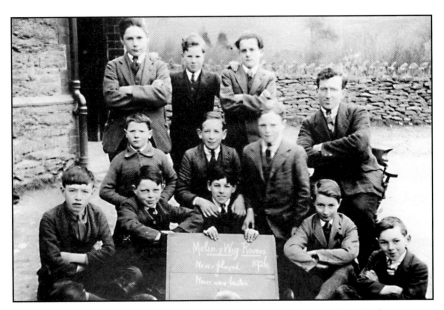

Tîm pêl-droed 'Melin-y-wig Rovers' - y tîm na chwaraeodd erioed ac na chawsant eu trechu! - Glyn Prytherch; Wilfred Davies, Ty'n Llechwedd; Roy Jones; John Davy Vaughan; Goronwy Jones, Bryn Ffynnon; Dafydd Evans, Pencraig; John Evans (Prifathro); Iorwerth Davies, Pentre; Ellis Jones, Bryn Halen; Cynhafal Hughes, Glasgoed; John Davy Jones, Bryn Halen; Edward Davies, Bryn Mawndy

Parti dawnsio Ysgol Melin-y-wig mewn gŵyl yng Nghorwen. Lois Blake oedd yn ein dysgu. Rhes ôl: Ceri; Elizabeth; Megan; Beti. Rhes flaen: Glenys; Lena; Morfudd; a Lili.

Grŵp dawnsio ac actio'r sipsiwns:
Lena Tai Teg; Megan Hen Hall; Ceri Pencraig; Glenys Glan Clwyd; Lily
Austin; Morfydd Pencraig Bach; Beti Tan y Graig; Lisabeth Dolben.

Aduniad Ysgol Melin-y-wig yn 1976

Dyma lun ohonof gyda'r delyn ar fuarth y Rhos, Bylchau. Roedd Annie Davies, Telynores Hiraethog eisiau i mi chwarae'r delyn i agor Eisteddfod Clwt, Y Bylchau ac rwy'n cofio i mi chwarae 'Pant Corlan yr Ŵyn'. Roeddwn yn cysgu yn y Rhos gyda theulu cerddgar a chroesawus iawn, a llond tŷ yno bob amser yn ychwanegol i'r teulu ei hun! Rwy'n cofio cysgu yn un o bump yn y gwely dwbl. Ar ôl yr Eisteddfod, daeth hogiau ifainc ar ein holau i'r buarth a chan mai tŷ a siambr oedd y Rhos, fe daflwyd ceiliog i mewn trwy ffenestr y llofft. Sôn am helynt a sŵn wrth geisio ei ddal, a phawb yn sgrechian dros y lle!

Robert Jones, Traian, Llanfihangel Glyn Myfyr hefo'r cadeiriau, medalau a'r cwpan a enillodd am farddoni

Annie Davies, Telynores Hiraethog

Price, Ceri, Maggie, Dafydd ac Eirwen ar y buarth yn cychwyn i'r Ysgol Sul

Dosbarth Ysgol Sul William Williams, Ty'n y Fron. Rhes flaen: Lena, Tai Teg; William Williams; Lily Austin, Foel Las; Rhes gefn: Annie, Clegir Ucha; Ceri; Olwen Lodge.

Y ceffylau hefo'r beindar

Price a Dei yn y cae gwair

Maggie, Myfanwy (chwaer i gwraig Bill),
Dei a Mr Hitchmough, Pant y Mêl; Bill, Price ac Eirwen fach,
yn cael te yn y cae ŷd

Tada a Mam ar bont y pentref ym Melin-y-wig

Parti Meibion Min yr Alwen, Llanfihangel – John a Trebor; John Tyddyn; Eifion;
Edgar; Huw; Robert Jones, Traian, yr arweinydd, Gwynfor a minnau.

Gruffydd Huws, John Ifan Jones, Cysulog, a Tada, Enoch Evans yn rhoi'r byd
yn ei le y tu allan i Gapel Dinmael

Parti Meibion Min yr Alwen, Betws. - Morwenna Davies, Ty'n Llechwedd;
Dei, fy mrawd, yr arweinydd; Gwilym; Robin; Aelwyn; Trebor; Ted; Tom a
Iorwerth. Nid yw Clement Jones na John Tyddyn yn y llun.

Mr a Mrs Lewis Edwards, Bodtegir,
Llanfihangel, cymdogion a chyfeillion
agos oedd yn byw ar draws yr afon
Alwen i Bencraig.

Bedd Tada a Mam
ym Melin-y-wig.

Dosbarth Ysgol Sul Dinmael gyda Jane Hefina, Heulfre yn athrawes arnynt.
Alwena sydd yn y rhes flaen ar yr ochr chwith.

Plant Ysgol Dinmael. Rhes gefn: Tony Bateman; Myfyr Llys Dinmael; Eryl
Heulfre; Aled Tytandderwen; Gareth Post Tynant; Esmor Brithdir; Eurwyn
Wern; Eilir Y Wern; Elwyn Gwernfran; Gwynfor Jones, Uwch y don; Bryn
Penybont; ?. Ail res o'r chwith: Iwan Heulfre;

Myfyr, Hefina ac Arwel yn y pram yn yr ardd yn Llys Dinmael.

Arwel ac Erfyl mewn cystadleuaeth Noson Lawen gydag aelodau
Clwb Ffermwyr Ieuainc Rhuthun

John ac Emrys a ddaeth yn fuddugol ar y ddeuawd cerdd dant yn Eisteddfod Caerdydd yn 1960 ac yn Llandudno yn 1963. Mrs Catherine Watkin fu'n gosod ac yn eu hyfforddi. Yn y llun hefyd, gwelir dwy o Lanuwchllyn yn eu llongyfarch

John, gyda Pharti Cwm Eithin, Llangwm. Rhes ôl o'r chwith i'r dde: Emrys Owen, Bryn Nannau; John Owen, Llys Dinmael Isaf; Robert D. Davies, Cefn Nannau; Owen Hugh Owen, Plasau; Ifor Hughes, Ystrad Fawr; Cadwaladr Davies, Tŷ Tan Dderwen; Dafydd Evans, Gwern Nannau; Oliver Hughes, Tŷ Cerrig; Wyn Evans, Bugeilfod; Vaughan Roberts, Fron Isaf. Rhes flaen: Emyr Jones, Gellioedd Ganol; Gwilym Watson, Ystrad Bach; Aerwyn Jones, Aeddren Isaf; Aelwyn Owen, Glanrafon; Emrys Jones, Pen y Bont; Gerallt Owen, Tŷ Newydd; Gwynfor Evans, Gwern Nannau; Trebor Roberts, Fron Isaf.

Hogiau Clwyd - Rhes ôl o'r chwith i'r dde: Gwyn Griffiths; Meirion Jones; Myfyr Owen; John Owen; Geraint Roberts; Brynmor Roberts; Gwyn Williams; Gwyndaf Roberts; Shôn Dwyryd; Clwyd Jones; John Roberts; Emrys Ellis; John Rees Davies. Rhes flaen: Wynford Thomas; Brian Roberts; Hywel Edwards; Tegid Jones; Elwyn Jones; Gwynfor Owen; Herbert Watson.

Mr a Mrs Tom Roberts ar achlysur eu hymddeoliad o Ysgol Llanelidan

Y triawd, Brynmor a Gwyndaf, Bryn Goleu ac Arwel yn canu i Mr a Mrs Tom Roberts ar eu hymddeoliad. Erfyl sydd wrth y piano yn cyfeilio. Roedd y barbwr ar streic hefyd fel y gwelwch!

Pasiant 'Genedigaeth Crist' yng Nghynwyd

Y pasiant 'Arwisgiad Tywysog Cymru'

John yn canu mewn pedwarawd ym mhasiant 'Arwisgiad Tywysog Cymru'

Y Côr ym mhasiant 'Arwisgiad Tywysog Cymru'

Dosbarth Ysgol Sul Mrs Rhoda Hughes, Pen y Coed, Pwllglas - Alun; Arwel; Huw; Wyn; Erfyl; Menai; Ann; Mrs Rhoda Hughes; Anwen; Hefina a Iona

Y triawd, Myfyr, Arwel, ac Erfyl, gyda Mair, gwraig Arwel, yn cyfeilio iddynt, yn recordio'r rhaglen 'Noson Lawen' ar fferm Plas Newydd, Trefnant

Clawr ein record gyntaf a dynnwyd y tu allan i Gastell Rhuthun
gan Elsa Frischer

Dyma ddyfyniad o froliant y record gan Aled Lloyd Davies
"'Anodd tynnu dyn oddi ar ei dylwyth,' meddai'r hen air. Ni bu erioed fwy o wir yn yr hen ddihareb hon nag wrth feddwl am deulu dawnus Hafod y Gân. Mae'r teulu cerddgar hwn o Ddyffryn Clwyd yn adanbyddus bellach trwy Gymru gyfan oherwydd melyster eu cân, a'u dawn i rannu eu cân a'u llawenydd gydag eraill."

Clawr yr ail record a dynnwyd yn Neuadd y Woodlands, Bontuchel,
eto gan Elsa Frischer

Dyma ddyfyniad o froliant y record gan D. Tecwyn Lloyd
"Teulu yw parti Hafod y Gân, sef John a Ceri Owen a'u plant, Alwena,
Myfyr, Hefina, Arwel, Erfyl ac Eirlys, sy'n byw ym Mhwllglas gerllaw
Rhuthun. 'Hafod y Gân' yw enw tra phriodol eu cartref ond erbyn hyn
wrth gwrs, mae'r "plant" dipyn yn hŷn a'r cwbl ond dau wedi gadael y
nyth a sefydlu eu 'Hafodau' eu hunain ac mae Mair, gwraig Arwel sydd
hefyd o deulu cerddorol o Lansannan yn cyfeilio ar y delyn a'r piano i
amryw o'r caneuon."

71

Myfyr, Arwel ac Erfyl yng Ngwyddelwern

Teulu Hafod y Gân

Côr Pwllglas, gyda Beryl Lloyd Roberts, yr arweinyddes,
ac Eirlys Dwyryd, ein cyfeilyddes

Gwynfor Evans yn Fron Ganol, Llanbedr

Y Pedwarawd a fu'n fuddugol yn Eisteddfod Genedlaethol Y Rhyl 1985

Arwel ac Erfyl a fu'n fuddugol yng Ngŵyl Gerdd Dant Pwllheli 1988, yn Eisteddfod Genedlaethol Llanrwst 1989 ac yn y Bala 1997 ar y gystadleuaeth Deuawd Cerdd Dant Agored ac yn dilyn yn esgidiau eu tad, mae'n rhaid, gan iddo yntau ac Emrys Jones, Llangwm ddod yn fuddugol ar yr un gystadleuaeth rhai blynyddoedd yn ôl erbyn hyn.

John yn cychwyn o Ysbyty Rhuthun i briodas Erfyl a Diana, gyda rhai o'r gweinyddesau a fu'n gofalu amdano yn yr ysbyty

John a minnau, gyda'm chwaer, Min ar achlysur arbennig dathlu ein Priodas Aur, Tachwedd 30ain, 1996

*John a minnau a'm chwaer, Min, gyda'r plant a'u partneriaid
yn dathlu ein priodas aur*

John a minnau gyda'n wyrion a'n wyresau yn dathlu ein priodas aur

Y garreg fedd ym mynwent Melin-y-wig

Jenny a Stephen, plant Alwena

Siôn, Meleri a Gareth, plant Myfyr

Peter a Marc, meibion Hefina

Iwan a Dafydd, meibion Arwel

Ceri Wyn, merch Eirlys

Harri a Jac, meibion Erfyl

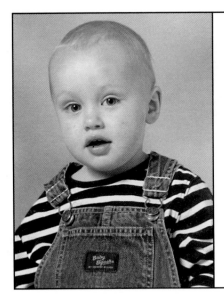

Josh, mab Jenny, ŵyr i Alwena   Archie, mab Jenny, ŵyr i Alwena

Erin Haf, merch Meleri, wyres i Myfyr

sgwrs, byddai John yn ei ddanfon at y tŷ bach i waelod y buarth. Roedd un rhan o'r tŷ bach yn sir Feirionnydd a'r llall yn sir Ddinbych! Byddai hyn yn hwyl ganddynt yn aml. Byddai'r ddau yn cael hwyl hefyd ar ganu yr hen dôn 'Sanctus' wrth wal y buarth nes bod eu lleisiau yn atsain i lawr am Maerdy:

> 'Rhodder iti fythol foliant,
> Sanctaidd, sanctaidd, sanctaidd Iôr!'

Wedi peth amser, fe gododd Dei ac Enid a'r teulu eu pac a symud i ffarmio i lawr i'r De. Ond maent yn dal yn galw i'n gweld fel tase nhw'n byw yn y lle agosaf. Chwarae teg iddyn nhw. Dyma rhyw rigwm o ffarwél a wnes iddynt ar ôl ffarwelio:

FFARWÉL I DEULU TY'N TWLL
PAN YN SYMUD I FYW O DDINMAEL
I LANDEILO

O! mor anodd ydyw coelio
Eich bod heddiw'n mynd o'n plith,
Hen gyfeillion, a chymdogion,
Bydd yn golled, bydd yn chwith.

Colli sŵn y plant yn chwarae
Colli'r sgwrsio ar y ffôn,
Colli sŵn y lori'n rhuo
Pan yn mynd i fyny'r lôn.

Colli clywed stori ddigri
Sydd ynghadw yn ystôr,
Colli clywed sŵn y canu
"Sanctaidd, sanctaidd, sanctaidd Iôr."

Er eich colli, nac anghofiwch
Hen gyfeillion yma 'thraw,
Fe gawn gwrddyd rhywbryd eto
A chael eilwaith ysgwyd llaw.

Bendith ar eich cartref newydd
Yn y de ddywedwn ni,
Erys hen atgofion difyr
Byth mewn cof amdanoch chwi.

Roedd yna hen lanc a hen ferch, John Henry Jones ac Emily, yn byw am dipyn yn Llys Dinmael Uchaf. Doedd Emily ddim yn clywed yn dda. Cofiaf y gweinidog yn dweud wrth John Henry, 'Nid wyf wedi eich gweld yn y capel ers dipyn Mrs Jones'. 'Naddo,' atebodd yntau, "dyw'n chwaer ddim yn clywed a dwi ddim yn gwrando!' Aeth i'r capel pan oedd hi'n dywyll un nos Sul. Croesi'r caeau a wnaeth ac aeth ei droed i dwll cwningen. Pan gyrhaeddodd y golau yng nghyntedd y capel, roedd ei drowsus yn fudr ac fe drodd yn ei ôl am adre. Ond pan aeth i mewn i'r tŷ, cafodd andros o fraw. Roedd ei chwaer yn noethlymun yn ymolchi mewn padell o flaen y tân!

Cofiaf ei hanes yn mynd am X-ray a minnau yn gofyn i John Henry sut yr oedd ei chwaer. 'O!' meddai, 'Mae hi'n llawer gwell ar ôl yr X-ray!'

Roedd o bob amser yn cario taffi triog yn ei boced wrth fynd rownd y defaid, a byddem yn cael cacen ar radell o hyd ganddi hi.

Cymeriad arall a fyddai'n dod am sgwrs yn aml oedd Gruffydd Huws, Llys Gain, neu Myfyr y Gadair, er na wn sut cafodd yr enw yma. Roedd o'n ddarllenwr mawr ac yn llenor.

Pan symudodd Tada a Mam a'r teulu o Gyffylliog i Pencraig, roedd yn bur anodd gwybod i ba gapel i fynd – Cynfal ym Melin-y-wig neu Capel y Gro, Betws – gan nad oedd car bryd hynny. Ond fe benderfynodd Tada fynd i Felin-y-wig am ei fod yn edrych yn nes i gerdded. Ar ôl iddynt ymddeol o Bencraig, aethant i'r Brithdir i fyw yn rhan o'r tŷ, i gartref Dei ac Enid. Roeddent yn dal i fynd i Gapel Melin-y-wig fel arfer a phasio Capel Betws, fel aderyn ddim am newid nyth. Ymhen tair blynedd ar ôl angladd Mam, ar Dachwedd 24ain, 1956, cafodd Tada drawiad ar ei galon a bu farw yn sydyn iawn ac aed a'i weddillion yn ôl i Melin-y-wig lle bu gwasanaeth nad anghofiwn dan arweiniad ein gweinidog, y Parch. T. Alun Williams. Ni bu bywyd yr un iddo ar ôl colli ei gymar.

Dyma adroddiad a ymddangosodd yn y papur lleol wedi'r angladd:

BETWS G.G.

Nos Sadwrn, Tachwedd 24, yn frawychus o sydyn bu farw y cymrawd hoff Mr Enoch Evans, Brithdir, yn 73 mlwydd oed. Er nad oedd yn teimlo yn dda ei iechyd ers tro, ni feddyliodd neb fod y diwedd mor agos. Mab ydoedd i'r diweddar Mr a Mrs Enoch Evans, Cefniwrch Bach, Cyffylliog. Symudodd y teulu i fyw i Pencraig Fawr oddeutu deugain mlynedd yn ôl, a pharhaodd i amaethu yno hyd o fewn ychydig flynyddoedd yn ôl yr ymneilltuodd ef a'i ddiweddar briod i gartrefu yn y Brithdir. Yn fuan wedi ei ddyfodiad i'r ardal, ymdaflodd â'i holl egni i wasanaeth y cyhoedd. Bu yn aelod o'r Cyngor Plwyf am flynyddoedd; etholwyd ef hefyd i gynrychioli yr ardal ar Gyngor Dosbarth Edeyrnion a Chyngor Sir Meirion. Rhoddodd gyfrif da ohono ei hun yn y Cynghorau hyn; yr oedd ganddo feddwl annibynnol ac ni fyddai yn ôl o fynegi y cyfryw, heb ofni gwg na disgwyl gwên un dyn byw. Ymladdodd bob amser yn ddewr dros y gwan a'r diamddiffyn, gwnaeth fyrdd o gymwynasau yn ei ddydd, nid oedd dim yn ormod ganddo i'w wneud os oedd yn ei allu. Yr oedd yn werinwr yng ngwir ystyr y gair; yr oedd yn casáu â chasineb mawr bob ffurf o rodres a gloddest; carai grwth a thelyn, ymddiddorai ymhob peth Cymreig, yn nawddogydd brwd i'r Eisteddfod, a rhoddai bob cymorth i ddatblygiad talentau lleol. Bu aelwyd Pencraig Fawr am flynyddoedd lawer yn fan cyfarfod cerddorion a beirdd y fro; erys clod Parti Telyn yr aelwyd hon hyd heddiw ar hyd a lled y wlad. Gwnaeth bopeth i hyrwyddo gwir fywyd cefn gwlad. Yr oedd yn gymeriad poblogaidd ar gyfrif unplygrwydd a gonestrwydd ei fywyd. Daeth yn adnabyddus i gylch eang iawn; edrychid i fyny ato fel gŵr o gyngor. Ni welwyd gwell cymydog yn unman, wrth law bob amser i estyn cymwynas a charedigrwydd. Llanwodd le amlwg hefyd ym mywyd yr eglwys ym Melin-y-wig, yr oedd yn nodedig am ei ffyddlondeb, yn athro medrus yn yr Ysgol Sul a bu am flynyddoedd yn gynrychiolydd i'r Cyfarfod Ysgolion, nid oedd dim yn ormod ganddo ei wneuthur gydag allanolion yr Achos. Er wedi symud i'r Brithdir parhaodd i fynychu yr eglwys yng Nghynfal dair gwaith y

Sul. Teimlir chwithdod mawr o'i golli a bwlch amlwg o'i ôl.

Dydd Mercher, Tachwedd 28, daeth tyrfa enfawr ynghyd i dalu'r gymwynas olaf i'w weddillion, y rhai a osodwyd i orffwys ym mynwent Cynfal. Yr oedd yn un o'r angladdau mwyaf a welwyd yn yr ardal. Gwasanaethwyd ar yr achlysur gan ei weinidog, y Parch. T. Alun William yn cael ei gynorthwyo gan y Parchn. T. J. Bryan, Maerdy; Hywel Jones, Gellifor; R.O.G. Williams, Dinmael; Seth Pritchard, Gwyddelwern; Henry Roberts, Henllan; I. Bryn Williams, Cyffylliog; Cyril Evans, Treffynnon. Arweinydd y gân oedd Mr Owen S. Edwards, Tanygraig, yn cael ei gynorthwyo wrth yr offerynnau gan Mrs McShea, Tŷ Cerrig, a Mrs Davies Brynmawndy. Yr oedd y cwbl o'r trefniadau yng ngofal Mr W. Cynhafal Hughes, Glascoed.

Bu John ac Emrys Jones, Llangwm, yn canu cryn dipyn hefo'i gilydd yr adeg hyn. Cofiaf amdanynt yn canu mewn cyngerdd cysegredig. Roedd y ddau yn eistedd yn y seti croes yng ngwaelod y capel gyda blodau wedi eu gosod mewn dysgl ar ryw groes hir addurnedig o'u blaen. Fe gododd John i fynd i'r pulpud i ganu ac fe hitiodd ei ben yn y blodau nes iddynt droi a disgyn ar ben y dechreuwr canu. Fe dynnodd John yn y ddysgl a oedd ar ben y dechreuwr canu a'i rhoi yn ôl yn daclus ar y stand, gan sychu ei war gyda'i gadach poced. Mi fedrwch ddychmygu pa mor anodd oedd wynebu'r gynulleidfa a chanu wedyn!

Dyma i chi benillion a wnaethum i Barti Cwm Eithin pan yn dathlu eu pen-blwydd yn 21 oed:

I BARTI LLANGWM YN 21AIN OED
Hardd yw gweled llanciau Llangwm
Yma heno oll ynghyd,
Dyma barti o Gwm Eithin
Deil eu cân yn fyw o hyd;
Dysgodd ennill, dysgodd golli,
Canu wnaed y ceinciau cain,
Un ar hugain o flynyddoedd
Bythgofiadwy fu i'r rhain.

Rhaid yw cofio eu harweinydd
Fu'n cystadlu fwy na mwy,
Y mae Emrys ar ei orau -
Rhannu'i ddawn wnaeth gyda hwy;
Dyma barti sy'n amryddawn,
Y mae ynddo feirdd o fri,
Yn arlunwyr ac yn grefftwyr,
Ac yn ffermwyr, coeliwch fi.

Maent yn adnabyddus hefyd,
Rhoi cyngherddau wnânt yn rhad
Er mwyn cadw iaith y Cymro,
Maent yn batrwm o gefn gwlad.
Emyr Roberts sy'n amryddawn
Gyda'i 'hit' a'i 'wit' bob tro,
Ni fuasai Parti Llangwm
Byth yn gyflawn hebddo fo.

Heb anghofio'r gyfeilyddes
Fu mor ddiwyd gyda'i gwaith
Yn y practis aml noson -
Do, yn wir, am oriau maith;
Ysgrifennydd a thrysorydd
Sydd i bawb fel asgwrn cefn;
Pawb yn gweithio ar ei orau -
Dreifar bws bob tro mewn trefn.

Nid yw'n noson i ffarwelio
Ond i gofio'r amser gynt,
Ac i gofio'r rhai fu'n ffyddlon
Yn y parti ar ei hynt;
Ar ôl heno, fe gawn glywed
Ar recordiau, yn eu tro
Leisiau'r Parti o Gwm Eithin
Ar bob aelwyd yn y fro.

Wedi i ni wneud llawer o ffrindiau yng nghylch Dinmael, bu'n rhaid i ni, yn 1964, roi'r gorau i ffermio gan fod Mr Jones eisiau'r fferm. Cafodd John waith yng Nghae Groes, Rhuthun ac aethom i fyw i Dŷ Capel y Bedyddwyr, Llanelidan. Y diwrnod wedi i ni symud, cafodd John air i ofyn iddo fynd yn ôl i Ddinmael i arwain y sasiwn. Yno, cyflwynodd J E Jones, Cysulog, gloc yn anrheg iddo am godi canu yn y capel dros y blynyddoedd.

Bu llawer o ganu a hwyl yn Llanelidan eto ac roedd gennym Barti hefo'r Gymdeithas. Aelodau'r Parti oedd Myfyr; Gwyndaf, Brynmor a Iola, Bryn Golau; Arwel, Dôl Afon; a Meira, Ffolt. Roedd Brynmor yn chwarae gitâr drydan a byddwn innau yn uno gydag o ar y delyn.

Yn ystod y cyfnod hwn, roedd John a Myfyr yn aelodau o Hogiau Clwyd. Shôn Dwyryd oedd yn arwain y parti bryd hynny ac yna, fe ddaeth Bobi Morris Roberts i'w ddilyn. Yr arweinydd cyntaf oedd Catherine Watkin ac fe olynwyd hithau gan Mrs Bryn Williams cyn i Shôn Dwyryd gymryd yr awenau.

Atgof arall am Lanelidan yw hanes Arwel ac Erfyl yn mynd i'r Ysgol Sul yng nghapel Bryn Banadl. Roedd ganddynt ddarn tair ceiniog felen yr un i'w roi yn y casgliad. Ond dywedodd Erfyl yn ddiniwed wrth Mrs Roberts, yr athrawes, eu bod yn rhannu'i casgliad y Sul hwnnw gan fod Arwel, wedi gweld Rolf Harris yn lluchio *Chocolate Buttons* i fyny ac yn eu dal yn ei geg, wedi ceisio gwneud yr un peth hefo'i gasgliad ac wedi ei lyncu!

Dro arall, byddai Erfyl yn mynd i chwarae'r organ gyda'r nos yng Nghapel y Bedyddwyr pan nad oedd neb arall yno. Un noson, rhoddodd dâp ar fynd ohono ei hun yn chwarae'r organ yn y capel. Roedd Eirlys a'i ffrindiau yn sefyll yn y ffordd o flaen y capel yn gwrando pan ddaeth Erfyl rownd y gornel a dweud mai ysbryd oedd yn y capel. Cawsant aflwydd o fraw ac fe redont i ffwrdd ar frys gan fod y fynwent wrth y capel!.

Roedd Erfyl yn chwarae'r Bas Tiwba yn y band yn Ysgol Brynhyfryd, Rhuthun ac fe fyddai'n dod ag ef adref i ymarfer ac i'w lanhau o dro i dro. Un diwrnod, tra'n cerdded o'r dref i'r ysgol, rhoddodd un chwythiad i'r corn trwy flwch llythyrau rhyw dŷ ar fin y ffordd. Daeth dyn allan yn nhraed ei sanau ac ar ei ôl wedi gwylltio yn gaclwm. Roedd dwy ddynes mewn oed yn y tŷ a gorfu i Erfyl fynd yn ei ôl i ymddiheuro! Un direidus a difeddwl oedd Erfyl.

Cofiaf hanes Arwel ac Erfyl yn gwneud tandem allan o ddarnau o'r domen sgrap, cystal â 'run beic newydd, ac roeddent yn cael llawer o hwyl arno. Pymtheg mis oedd rhwng y ddau, ac nid oeddent yn ddigon hen i fod hefo'r Parti. Roedd y ddau yn cael eu hanfon i'r gwely'n gynnar ond erbyn hyn yn cyfaddef eu bod yn eistedd ar dop y grisiau yn gwrando am oriau pan oeddem yn ymarfer. Cymerodd Goodman Evans ddiddordeb mawr yn y ddau ac roedd ganddo awydd rhoi hyfforddiant lleisiol iddynt. Roedd Goodman wedi bod yn canu llawer o unawdau. Gŵr mawr yn gorfforol a llais mawr trwm. Bu Goodman yn cystadlu llawer. Bob nos Fawrth yr oedd yr hyfforddiant ond roedd gan Erfyl boen yn ei fol bob nos Fawrth, ac Arwel, yntau yn trio'i orau i ddweud wrth Goodman Evans ei fod o am stopio hefo'r *hyfforddiant* 'Agorwch eich *larynx*' meddai wrthynt o hyd. Nid nes i ni symud i dŷ mwy ym Mhwllglas y daeth yr hyfforddiant i ben a hynny gan fod babi yn y tŷ drws nesaf.

Un noson, daeth dynes ddiarth i'r drws yn chwilio amdanom. Nid oeddwn wedi ei gweld er pan oeddwn gartref ym Mhencraig ac yn cadw llawer o gyngherddau gyda Bill a Dei, fy mrodyr, a Nelly Thorman o Gynwyd yn canu'r ffidil. Saesnes oedd hi ac yn hynod o ddawnus ac yn canu'r ffidil yn fendigedig. Fe briododd â Charlie Pearce o Gynwyd. Dreifar bws oedd Charlie ac roedd y ddau yn chwarae mewn band yng Nghorwen. Ar ôl priodi, aethant i fyw i fwthyn nid nepell o Gynwyd. Ganed un mab iddynt, Roger. Roedd y bwthyn mor dwt ac yn enghraifft wych o'i syniadau creadigol. Buont yn cadw siop am beth amser. Pan ddaeth i'm gweld, roedd hi'n daer i mi fynd i gyfeilio ar y delyn mewn pasiant yng Nghynwyd. Wnâi neb arall y tro ac roedd hi eisiau i John ganu unawdau ac yn y côr. Roedd ganddi hefyd eisiau i Myfyr ganu deuawd hefo Wynford o Glawddnewydd. Byddai'n ysgrifennu'r pedwar llais mewn sol-ffa ar gyfer y côr a chopi i minnau ar gyfer y delyn. Hi fyddai'n ysgrifennu ac yn trefnu y pasiant ac yn gwneud yr holl ddilladau lliwgar. Paratowyd pasiant un Nadolig, 'Genedigaeth Crist', ac un arall wedyn, 'Mab y Dyn'. Mr Booth, tafarnwr o Gynwyd, oedd y prif actor y tro hwn ac er mwyn cael yr effaith, fe'i perfformiwyd yn eglwysi Cynwyd a Chorwen. Yr adroddwyr yn cyflwyno'r stori oedd Mr Phillips, Rheithor Corwen, y Parch. Neville Morris, Corwen a Mr a Mrs Richards. Hefyd, fe berfformiwyd 'Arwisgiad Tywysog Cymru'. Clay Jones, y garddwr mawr o Gorwen, oedd y tywysog, a chyda llais dwfn. Yn yr ail ran, roedd noson lawen o flaen y tywysog a'i briod ac yno roedd Emyr Lloyd, yr ocsiwnïar o Ruthun, yn dawnsio y ddawns coes brws a minnau yn canu'r delyn iddo. Roedd John yn canu mewn pedwarawd, a Myfyr a Wynford yn canu deuawd 'The Drinking Song'. Y pasiant olaf a wnaethom oedd 'Owain Glyndŵr'. Mr M O Griffiths, prifathro Ysgol Corwen, oedd Owain Glyndŵr ac roedd ei ferch, Olwen Medi, ynghyd â Marian, gwraig Ifor Williams, y cwmni trelars, yn actio ynddi hefyd. Roedd Vivien Miller yn actio'r 'Earl Gray o Ruthun' ac roedd y milwyr wedi eu gwisgo yn addas iawn. Mr Jones, Pen Ddôl, Cynwyd oedd arweinydd y côr. Roedd Nellie wedi dethol y cymeriadau mor fanwl ac roedd hi'n disgwyl canu gwefreiddiol, nid fel rhywbeth o dun, meddai. Bu farw tra'n paratoi pasiant arall, 'Dr Livingstone'. Gresyn na fuasai ei gwaith medrus yn cael ei arddangos eto, ond diolch am gael ei hadnabod ac am ei llafur diflino. Y pasiant am Owain Glyndŵr roddodd yr ysbrydoliaeth i mi ysgrifennu'r gân 'Ysbryd Glyndŵr' a genid gan y triawd.

Yna, dechrau cyfnod arall yn fy mywyd ym mhentref Pwllglas, y cyfnod pan ddaeth teulu Hafod y Gân i fodolaeth a'r cyfnod pan oedd teulu Pencraig yn mynd yn llai o un i un; y cyfnod pan ddechreuodd John weithio hefo cwmni *Ifor Williams Trailers* yng Nghynwyd; y plant yn mynd i'r ysgol, yn gadael ysgol, yn mynd i weithio, yn mynd i drampio'r nos ac yn priodi ac yn gadael y nyth. Roedd hwn yn gyfnod pan oedd teledu ar bob aelwyd, y tafarndai yn agored ar y Sul, yr ysgolion bach yn cau, a'r capeli yn dechrau gwagu, yr archfarchnadoedd yn boddi siopau'r pentre a mwy o Saeson yn symud i mewn yn dawel i gefn gwlad Cymru.

Roedd hefyd yn gyfnod pryd y buom yn rhoi'r byd yn ei le droeon ym mlas paned o de a bisgedi ganol bore pryd y deuai ein dyn llaeth heibio, Glyn Jones, Ty'n Llechwedd, Gwyddelwern. Roedd Glyn yn gefnogwr brwd i Blaid Cymru ac os byddai Mrs Jones wedi ei golli, fe wyddai ble i ffonio i gael gafael arno! Gresyn na fuasai gennym dâp o'r sgyrsiau difyr a gaem. Er mor brysur yr ydoedd, roedd ganddo amser i drafod pynciau'r dydd a'r iaith Gymraeg yn fwy na dim.

Un arall o gymeriadau'r fro oedd Mrs Jones drws nesaf. Saesnes oedd hi, ond byddem wrth ein bodd yn ei chwmni. Roedd hi dros ei naw deg oed ac meddai *"Anything you try you can do. If you can't, try again, but don't give up."* Un felly oedd hi a chymeriad cryf iawn ganddi. Byddai'n dod atom ganol bore am baned o goffi ac un diwrnod pan ddaeth atom, daeth rhywun i'r drws. Pwy oedd yno ond dynes yn gwneud arolwg ac eisiau i mi lenwi'r holiadur oedd ganddi. Dyma finnau'n gofyn i John wneud y coffi i Mrs Jones. *"Well, you've got a good husband"* meddai'r ddynes. *"Do you think so?"* meddwn innau. Toc, gwelwn ei ben yn dod rownd cornel y drws ac yn dweud nad oedd yn cael llawer o hwyl ar wneud y coffi. Roedd y siwgr, te a'r coffi mewn potiau oedd wedi eu marcio yn Gymraeg. Roedd John wedi berwi'r llefrith ac wedi mynd i'r cwpwrdd i estyn y coffi ond wedi rhoi *gravy browning* yn y gwpan ac wedi ychwanegu'r llefrith poeth ar ei ben. Roedd o yn lympiau yn y sinc ac wedi cydio yn y llwy fel cacen! Roedd Mrs Jones drws nesa wedi cael modd i fyw am ddyddiau!

Ond dyma'r cyfnod hefyd pryd y dechreuodd 'Teulu Hafod y Gân' deithio'r wlad yn cynnal cyngherddau gan wneud llawer o ffrindiau pell ac agos. Byddai'r cwbl ohonom, John a minnau, Alwena, Myfyr, Hefina, Arwel, Erfyl ac Eirlys yn mynd i'r rhan fwyaf o'r nosweithiau, a byddai Mair, gwraig Arwel yn dod i gyfeilio ar y piano a'r delyn, neu yn ddiweddarach yn ein hanes, ar yr allweddellau. Byddai Erfyl yn chwarae'r gitâr a hefyd y piano pan yn canu deuawd gyda Eirlys, a minnau yn cyfeilio i John ar y piano neu'r delyn. Ni wnaethom erioed honni ein bod yn gerddorion, ond mae pob un ohonom wedi mwynhau canu erioed, sydd mae'n debyg yn egluro'r pleser dibendraw a gawsom yn teithio o un lle i'r llall, yn canu unawdau, deuawdau, triawdau, pedwarawdau, wythawdau, cerdd dant ac alaw werin neu ddwy, a chan gyflwyno ambell gân ddoniol. Roedd y llon a'r lleddf yn apelio ac yn ychwanegu at yr amrywiaeth i'r rhaglen. Roedd gan bawb ei ran ac roedd yn chwith garw os oedd un yn methu dod ambell noson.

Mae'n anodd cofio sut y daeth y parti i fodolaeth ond cynhaliwyd y cyngherddau cyntaf yn ôl yn 1977. Jack 'Foty Llechwedd, Llanfihangel, a fu'n aros gyda ni ym Mhencraig, oedd y cyntaf a ddaeth gyda ni i arwain, a llawer o hwyl a gawsom yn ei gwmni. Yna, fe fu Cyril Evans, Cwm, Llandrillo a Richard Jones, Saron neu Dic 'Foty Ddu fel yr adwaenid ef, yn arwain nosweithiau yn eu tro. Dro arall, byddai Fred Jones, Pen y Graig, Graigadwywynt yn dod gyda ni ac yn rhoi naws arbennig i'r gwasanaeth pan fyddem yn cynnal 'Wedi'r Oedfa'. Byddem yn cael rhyw wefr arbennig wrth gynnal 'Wedi'r Oedfa', gwefr wahanol i gynnal noson lawen neu gyngerdd. Ond yn dilyn cynnal nifer o nosweithiau, yr oedd Myfyr ac Arwel yn dechrau meistroli'r grefft ac yn arwain bob yn ail.

Cawsom gynnal sawl noson gyda Gari Williams a Charles Williams yn arwain. Cofiaf un noson ym Mhorthmadog pryd bu i Charles Williams gyflwyno'r triawd gan ddweud fod Myfyr wedi bod yn y tŷ gwydr yn rhy hir gan ei fod o mor fawr!

Cael amser i ymarfer oedd y gamp fwyaf a chael amser i ddysgu caneuon newydd. Roedd yn dipyn o straen ar y cychwyn, yn enwedig ar ôl diwrnod o waith, ac angen gofalu fod popeth gyda ni, llyfrau, y bag du, y gitâr, a'r meics, yr allweddellau a'r uwchseinydd, ac weithiau y delyn. Byddai'n rhaid gwneud rhaglen wahanol i fod yn addas ar gyfer yr achlysur - boed yn gyngerdd, yn noson lawen, yn wasanaeth, neu dro arall mewn clwb. Dro arall, byddai angen rhaglen addas i'r henoed neu ar gyfer cymdeithas capel, neu ar gyfer yr ifainc. Dyma fyddai'n gwneud pob noson mor wahanol. Yn aml, os byddem yn disgwyl cael noson dda, mi fyddai'n troi allan yn noson ddigon diflas, a phan yn teimlo heb lawer o awydd i gychwyn, byddem yn cael noson arbennig o dda.

Erfyl fyddai'n cyfansoddi'r gerddoriaeth a minnau yn ceisio ysgrifennu geiriau addas. Ni fyddai Erfyl byth yn ysgrifennu dim i lawr, byddai'n ei chanu hyd at syrffed weithiau a byddai'r lleill yn siŵr o fod wedi ei dysgu erbyn hynny! Byddai'r lleill wedyn yn harmoneiddio neu mi fyddai Erfyl yn clywed rhyw linell go felys i'r glust ac yn ei dysgu i'r lleill. Cofiaf yr adeg pan gyfansoddwyd y gân 'Pwllglas' ar gyfer y triawd. Roedd hi'n noson wlyb iawn a'r gwynt yn chwipio'r ffenestri. Noson ddiflas ar y teledu ac un o'r hogiau yn cael syniad, "Beth am wneud cân?" ac Arwel yn ychwanegu, "Mae'n rhaid eistedd mewn rhywle rhyfedd i feddwl am syniadau!" gan eistedd ar ben y bwrdd. Cydiodd Erfyl yn ei gitâr a chanu rhyw nodau basaidd ac roeddwn innau'n ceisio rhoi'r syniadau a gâi Arwel am yr holl dai newydd a godwyd ym Mhwllglas mewn penillion. A dyna sut y daeth y gân o dipyn i beth, pawb â'i bwt!

Ar ôl rhyw ddwy flynedd o ganu fel parti, cawsom wahoddiad i recordio ar gyfer y rhaglen radio ' Rhwng Gŵyl a Gwaith' ac yna yn 1982, ffilmio rhaglen Saesneg ar gyfer BBC2 gyda Roy Castle 'Family Band'. Rhaglen oedd hon a oedd yn rhoi cyfle i'r gwylwyr gael blas ar fywyd y gwahanol deuluoedd cerddorol sydd yn bod ac roeddent yn ffilmio'r teulu yn ymarfer ar yr aelwyd, yn canu'r emyn "O Iesu mawr rho d'anian bur" yn y capel gyda Chôr Pwllglas yn y cefndir, yn canu mewn noson gartrefol yn nhafarn y Fox and Hounds, Pwllglas, yn teithio mewn bws gyda Myfyr yn dreifio, ac yn mwynhau gyda'r plant yng nghae chwarae Cae Ddôl, Rhuthun. Roedd Dr Aled Lloyd Davies yn siarad am y teulu ar y rhaglen hefyd. Mae ein dyled yn fawr iddo am sawl cymwynas a gafwyd ganddo.

Wedyn, pan ddaeth S4C i fod yn 1982, cafwyd gwahoddiad i ymddangos ar y rhaglen 'Yng Nghwmni' gyda Leah Owen, ac ar sawl rhaglen o'r gyfres 'Taro Tant' a oedd yn cael eu recordio yn Llandudno gyda chynulleidfa yn bresennol. Weithiau, roeddem yn cael gwahoddiad i recordio eitem ddoniol lle byddai angen gwisgo rhyw ddillad arbennig i siwtio'r sefyllfa. 'Cowboi heb ddim ceffyl' oedd un o'r caneuon a ffilmiwyd ar strydoedd Caernarfon, a chân arall yn sôn am lanhau simnai!

Tant yn taro, ninnau deffro - heb drydan
Daw'r hogiau i sgubo
I'r aelwyd daw hen ŷd y fro
A rhyw wefr i'w hail wrando.

John Edwards, Groes (taid Mair, gwraig Arwel)

Daeth cyfle wedyn i recordio ar gyfer y rhaglenni teledu 'Cenwch yn Llafar', 'Arwyddion Ffyrdd', 'Nos Fawrth o Glwyd', ar raglen Trebor Edwards, a sawl gwaith ar y rhaglen 'Noson Lawen' a'r rhain i gyd, mae'n debyg, yn denu gwahoddiadau o wahanol rannau o Gymru i gadw nosweithiau.

Bu i ni hefyd wneud dwy record hir gyda chwmni Sain, un yn 1982 a'r llall yn 1985. Rhoddodd Dr. Aled Lloyd Davies, (chwarae teg iddo fo) gyflwyniad mor dda i'r record gyntaf fel i ni gael ail wahoddiad i recordio gan Sain. Tecwyn Lloyd roddodd gyflwyniad i'r ail record a mawr yw ein diolch i'r ddau ohonynt.

Cawsom nosweithiau difyr dros ben a chyfle i ddod i adnabod llawer o ardaloedd a fyddai'n ddiarth i ni fel arall, mae'n debyg. Erys rhai nosweithiau yn y cof, rhai fel y Gymanfa yn Llansannan gydag Elwyn Jones, Llanbedrog yn arwain, a Theulu Hafod y Gân yn rhoi eitemau ac ar ddiwedd y Gymanfa, Dafydd Emrys o Langernyw yn dod draw atom wedi llunio englyn yn ystod y Gymanfa:

Dawnus, hudolus deulu; - dyma hedd,
Nodau mwyn eu canu.
Ni wêl i'r criw dawelu
Dawn o'i fath erioed ni fu.

Dro arall, Arwel ac Erfyl yn canu deuawd yng Ngwyddelwern am Mohammed Ali, y bocsiwr, a Myfyr (a oedd yn fawr ei gorff bryd hynny!) yn dod i mewn o'r cefn yn gwisgo dim byd ond siorts ac yn llithro ar lawr gwlyb, ac ar ei hyd ar lawr!

Noson arall a thipyn o sgarmes oedd canu mewn Swper Gŵyl Ddewi yn Birkenhead. Roedd Myfyr yn byw yn yr Wyddgrug bryd hynny ac er mwyn arbed amser, penderfynodd John lwytho car Arwel, ac y byddai'n syniad golew petai Fred, John a minnau yn cychwyn yn hamddenol gyda char Fred i gyfeiriad yr Wyddgrug a chyfarfod yr ail lwyth tu allan i dŷ Myfyr. Cas beth gan John erioed oedd bod yn hwyr. Gwyddai fod yr hogiau yn gyrru yn gynt o lawer nag a fyddai Fred, ac felly, byddent yn siŵr o ddod o hyd i'r llwyth cyntaf yn ddigon buan, yn ei feddwl o! Cyrhaeddwyd yr Wyddgrug heb weld cip ar y lleill o gwbl. Penderfynodd Myfyr a John fynd yn ôl am Gwernymynydd rhag ofn fod y lleill wedi cael damwain - ond dim sôn amdanynt. Mynd yn ôl am yr Wyddgrug rhag ofn eu bod wedi methu eu gilydd ac aros yng ngheg y ffordd amdanynt, a John yn fflamio ein bod yn mynd i fod yn hwyr! Ymhen ychydig, rhoddodd John ei law ar ei ben-glin a theimlodd rhywbeth caled yn ei boced. Goriadau'r car arall oedd ganddo a'r rheiny wedi syrthio trwy dwll yn ei boced i lawr i leinin ei got! Nid oedd gennym ffôn yn y tŷ ym Mhwllglas ac felly, nid oedd dim i'w wneud ond troi yn ôl am adre a hynny ar ddwbl y sbîd y daethom yno! Cyrraedd yn ôl i Hafod y Gân a'r lleill yn aros yn un rhes ar y boncyn o flaen y tŷ mewn anobaith llwyr erbyn hynny! Fe gawsom groeso bendigedig ar ôl cyrraedd a chinio poeth a phawb yn clapio o'n gweld wedi cyrraedd yn ddiogel wedi hir aros amdanom.

Cofiaf hefyd fynd i Ddinas Dinlle i ganu; aeth un car trwy Betws-y-coed a Chapel Curig ac aeth Arwel â llond car arall ohonom ar hyd y glannau gan alw am Alwena, sy'n byw yn Abergele, ar y ffordd. Roedd y tywydd yn ddifrifol y noson honno, gwynt a glaw mawr ac arwyddion bod llifogydd ar y ffordd i'w gweld sawl gwaith ar hyd y ffordd. Ond fe fu i'r car a deithiodd ar hyd y glannau gyrraedd yn ddiogel ond nid oedd sôn am y lleill. Wrth weld yr amser cychwyn canu yn dod yn nes, penderfynodd Arwel fynd i edrych amdanynt gan adael ni'r merched i geisio diddori'r gynulleidfa! Yn y cyfamser, roedd y tri arall yn sownd mewn dŵr yng Nghapel Curig! Roedd Myfyr ac Erfyl wedi torchi eu trowsusau ac yn ceisio gwthio'r car a John yn eistedd fel brenin yn y cefn. Roedd ffenestr y car ar agor a phan ddaeth car arall heibio, aeth ton sydyn o ddŵr drwy ffenestr y car gan wlychu John at ei groen a'r ddau arall yn rowlio chwerthin! Penderfynodd Myfyr fynd i edrych am ffôn ac estynnodd Erfyl ei gitâr o gefn y car a chyfansoddi cân i basio amser. Rwy'n siŵr y gallwch ddychmygu y testun! Yn fuan wedyn, cyrhaeddodd Arwel a'u cludo i Ddinas Dinlle. Yn ffodus, noson i ddilyn swper oedd honno ac roedd pawb mewn hwyliau da. O'r diwedd, llwyddwyd i ddechrau'r adloniant tua hanner awr wedi deg gyda'r hogiau yn canu heb sanau am eu traed ac mewn dillad gwlyb! Wrth gwrs, ni allem i gyd fynd yn ôl mewn un car y noson honno a chafodd Myfyr ac Erfyl dreulio'r nos yn Nasareth gyda O. P. Huws. Y diwrnod wedyn, ar y ffordd adref, prynodd y ddau bâr o sanau ym Metws- y-coed ac eistedd ar fainc yno i'w gwisgo. Noson fythgofiadwy a ddysgodd wers i ni - rhaid i'r ddau gar ddilyn ei gilydd o hyn allan!

Cafwyd gwahoddiad tra gwahanol gan gwmni bysys Peter Evans, Llanrhaeadr. Gofynwyd i'r triawd ddiddanu'r teithwyr ar y bws! Trip aelodau Capel Llanrhaeadr oedd yr achlysur ac roeddent yn mynd i ben Mynydd Helygain ac yno yn eu haros yr oedd sipsi yn gwneud paned iddynt mewn carafan. Wel, sôn am hwyl pan wnaethon nhw sylweddoli mai Margaret, gwraig Peter Evans, oedd wedi gwisgo fel sipsi!

Ni fyddem yn cymryd yr un cyngerdd ar nos Fawrth gan mai noson ymarfer Côr Pwllglas oedd honno. Roedd saith ohonom yn aelodau o'r côr bryd hynny a bu inni ddysgu sawl anthem a chytgan, rhai fel 'Dyn a Aned o Wraig', 'Cytgan yr Haleliwia', 'Aieda', 'Tresaith' a 'Chymru' o waith Gareth Glyn. Daethom i'r brig yn y Genedlaethol ac mewn amryw o eisteddfodau eraill ac mae ein dyled yn fawr i Beryl Lloyd Roberts, yr arweinyddes, sef merch Bill, fy mrawd hynaf, am ei ffyddlondeb i'r côr, a hefyd i'r cyfeilyddion, Eirlys Dwyryd, Rhuthun a Mair Evans, Pentrecelyn.

Gyda thristwch y cofiwn am y diweddar Mr H. Garrison Williams o Chwilog, un a roddodd ei ddiolch ar ffurf englynion wedi i ni gynnal 'Wedi'r Oedfa' yng Nghapel Ebeneser, Y Ffôr, Pwllheli ar nos Sul ym Medi 1984:

Yn annwyl yma inni - daeth eich hwyl,
Daeth eich hoen i'n llonni;
A glân chwaeth eich rhaglen chwi
A erys i'w thrysori.

O Bwllglas daeth irlas arlwy - hudol
Eich nodau cofiadwy;
Caed mwynhad amhrisiadwy
A gwledd o hedd ynddynt hwy.

Heno mewn hyfryd anian - cydgordio
Fu'n llifo o'n llwyfan;
Miwsig di-ball ddaeth allan
Yn gu o Hafod y Gân.

H. GARRISON WILLIAMS, L.G.S.M.

Beirniad Canu ac
Arweinydd Cymanfaoedd

Bron Rhiw
CHWILOG,
PWLLHELI
Gwynedd LL53 6SF

Ffôn: CHWILOG
404.

Annwyl Gyfeillion:

Mae son byth am eich cyfraniadau
chwaethus yn y Ffôr - Nos Sul Medi 9ed.

Yn wir yr oedd yn fraint cael eich
gwrando a'r awr a hanner yn "fodlon gras"
meddai'r wên.

Dyma fi'n amgau tamed o'n papur bro
Y Ffynnon - i chwi gael gweld beth ddywedodd
gohebydd hwnnw. [Gweler Tudalen 18,
Colofn 3 yad].

Pob hwyl a bendith a gobeithio fod
"ein tad ni oll" wedi cael ei lais yn ôl.

———— Hwyl a diolch,
Garrison Williams

O.N. Rhyw £303 o elw a wnaed.

95

Roedd derbyn clod gan un mor amryddawn â Mr Williams yn rhoi hwb i'r galon ac yn rhoi pleser mawr i ni o feddwl bod rhywun wedi cael mwynhad o wrando arnom.

Buom yn canu mewn sawl noson a drefnwyd ar aelwyd groesawus Fron Ganol, Llanbedr, sef cartref Ian a Bronwen, merch Price, fy mrawd. Nosweithiau oedd y rhain i gasglu arian i achosion da, ac ar un achlysur a drefnwyd tuag at Blaid Cymru, rhoddodd Gwynfor Evans araith i'w chofio.

Dyma benillion gan y diweddar Medwyn Jones wedi cyngerdd yng Nghapel Tabernacl, Rhuthun:

Dyma deulu ddaw yr eilwaith
I ddiddori'n Capel ni,
Dim ond ambell un sy'n derbyn
Yr anrhydedd, coeliwch fi!

Caed y fath fwynhad tro dwytha
Mor ardderchog oedd y sgôr,
Nid oedd gennym ni ddim dewis
Ond i'ch galw am encôr.

Pencraig Fawr a Thyddyn Tudur
Ydi'r tir lle rhoed y gwraidd;
Yr oedd yno at ddatblygu
Fara cyrch a bara haidd!

Roedd englynion yno i frecwast,
Cân i ginio, cainc i de,
Ac i swper roedd penillion
A cherdd dant yn llenwi'r lle.

Braf yw gweld y plant yn cadw'r
Traddodiadau eto'n fyw;
Mae 'ne ormod o ryw sothach
I'n byddaru ar ein clyw.

Daliwn afael ar orffennol
Ac eiddigedd yn ein bron;
Ein dyletswydd yw trysori'r
Etifeddiaeth hynod hon.

Cyn i'r bocs ein llwyr ddifetha,
Cyn i'r llygaid droi yn sgwâr,
Mynnwn ddangos i fyd cyfan
Fod gan Gymru ddoniau'n sbâr.

O fyd gwell Hafod y Gân
Yn gyfoethog af weithian!

Erbyn 1990, roedd ymarfer a chael cyfle i ddysgu caneuon newydd wedi mynd yn dipyn o broblem. Roedd Alwena yn aelod o Gôr Merched Carmel; John, Myfyr, Erfyl a minnau yn parhau yn aelodau o Gôr Cymysg Pwllglas; Arwel yn aelod o Feibion Twm o'r Nant; Eirlys yn aelod o Gôr Rhuthun a'r Cylch; a Mair yn aelod o Gôr Merched Glyndŵr; hyn oll yn ychwanegol i'r plant fod yn magu plant eu hunain, a chytunwyd fod rhaid i bethau da ddod i ben rywbryd.

Ond, yn ystod y blynyddoedd diwethaf, roeddem wedi dechrau cael blas ar gystadlu a bu'r pedwarawd yn fuddugol yn Eisteddfod Genedlaethol y Rhyl yn 1985. Yna, dechreuodd Arwel ac Erfyl gystadlu fel deuawd cerdd dant gan ddod yn fuddugol yn yr Ŵyl Gerdd Dant ym Mhwllheli yn 1988 ac yn Eisteddfod Genedlaethol Llanrwst 1989 ac yn y Bala yn 1997. Mawr yw ein diolch i Margaret Edwards, merch Dafydd, fy mrawd, am ei gosodiadau ac am eu rhoi ar ben ffordd bob tro.

Yn ddiweddarach, oherwydd iechyd John, bu i ni symud i fyw i fyngalo henoed yn Rhewl, ger Rhuthun gan gario'r enw Hafod y Gân gyda ni. Tipyn o newid oedd symud i fyngalo heb oruwchystafell i fynd i glwydo! Er bod rhyw deimlad o wacter heb y teulu o'n cwmpas, mae'n braf eu gweld i gyd yn eu tro ac i weld yr naw ŵyr a'r tair wyres yn tyfu i fyny, ynghyd â dau or-ŵyr ac un orwyres (hyd yn hyn).

Trefnwyd cinio i ddathlu ein priodas aur yn ddiweddar yn y Cymro yn Llanrhaeadr pryd daeth y teulu ynghyd unwaith eto gydag Erfyl yn ein diddori ar yr organ, a Mair, gwraig Arwel, yn cyfeilio i'r teulu ganu rhai o'r hen ganeuon fyddent yn arfer ganu fel parti gan ddwyn atgofion melys iawn yn ôl i ni. Dyma benillion a wnaeth Menna, merch Min, fy chwaer, i ddathlu'r achlysur ac a ganwyd gan y plant ar yr alaw *I'll walk beside you:*

CYFARCHION I JOHN A CERI OWEN
AR ACHLYSUR EU PRIODAS AUR,
TACHWEDD 30AIN, 1996

Cyd-ddathlu rydych heddiw gyda'ch plant
A'r flwyddyn wedi cyrraedd hanner cant,
Cydgerdded wnaethoch drwy'r blynyddoedd fu –
Cewch ddiwrnod wrth eich bodd a chardiau lu.

I Bencraig deuai pawb i ganu cân
A chroeso cynnes gawsant wrth y tân,
Cerdd dant a thelyn yw eu doniau hwy,
Cystadlu mewn 'steddfodau ni wnânt mwy.

Recordiau sydd yn awr i bawb fwynhau
Eich gwaith a'ch talent chwi fydd yn parhau,
Llongyfarchiadau mawr ddymunwn ni
Pob lwc a bendith eto fo i chwi.

Roedd Min, fy chwaer, gyda ni yn dathlu'r achlysur arbennig hwn, ond o fewn ychydig ddiwrnodau, ar ddiwrnod pen-blwydd Erfyl, Rhagfyr 5ed, bu iddi hithau ein gadael, a'm gadael innau yr olaf o deulu Pencraig. Dyma pryd y penderfynais i roi ar gof a chadw yr atgofion lu sydd gennyf am fy nheulu a'm ffrindiau ac a fu yn gymorth mawr i mi ddod dros yr hiraeth a'r golled o'u colli i gyd.

Tair blynedd yn ddiweddarach, ar Ionawr 20fed, 2000, bu i John ein gadael. Daeth tyrfa niferus o ffrindiau a theulu i'r Tabernacl yn Rhuthun i dalu'r gymwynas olaf er cof amdano. Rhoddwyd ei weddillion i orffwys ym mynwent Melin-y-wig.

Coffâd
John William Owen, Hafod y Gân, Rhewl

Hysbys y dengys dyn o ba radd y bo'i wreiddyn ac os y bu i rywun wireddu hynny gydol ei oes, John oedd hwnnw. Canu oedd ei bethau.

Fe'i ganwyd yn Llangwm yn 1920 ac roedd ei fam eisoes wedi cyfrannu yn helaeth iawn i gerddoriaeth yr ardal. Cyfraniad arbennig iawn o'i heiddo oedd dysgu nifer o ferched ifainc Capel Cefn Nannau i chwarae'r organ, a bu tair ohonynt yn organyddion yn y Capel am dros hanner can mlynedd. Ei Dad wedyn â llais bâs meddal a dwfn, ac yn werth ei gael mewn côr a pharti ac yn arwain Côr Plant Llanfihangel. Wili ac Edith Owen yn dechrau byw yn Nhyddyn Tudur, Llanfihangel (hen gartref Owain Myfyr) ar ddechrau'r dau ddegau.

Gweithio caled fu hi wedyn am flynyddoedd a disgwyl yn eiddgar am weld y dydd y byddai John yn ymadael o'r ysgol a dod adre i weithio.

I fyd caled felly y ganwyd John, ond byd hapus. Popeth yn troi o gwmpas y capel. Y Parch. J R Jones yn weinidog yr adeg honno, dyddiau'r 'Band of Hope'. Teulu Tyddyn Tudur yn cefnogi popeth yn y capel a'r gymdeithas, a John yn tyfu'n naturiol i gymryd rhan yn y gweithgareddau.

Yn y cyfnod hwnnw roedd gŵr arbennig arall yn byw yn Llanfihangel, sef Bob Jones, y Traean. Roedd ganddo ddosbarthiadau i ddysgu canu a thonic sol-ffa ac roedd criw o fechgyn ifainc oedd yn gantorion da yn Llanfihangel y cyfnod hwnnw, ac yn canu unawdau mawr fel Cwm Llywelyn, a'r Ornest, a John yn eu plith. Fe ffurfiodd Bob Traean barti tannau, hwn oedd un o bartïon cyntaf Cymru.

Roedd hwn yn sicr o fod yn gyfnod pwysig iawn yn hanes John, cael bod ynghanol y bwrlwm oedd yn Llanfihangel ac yntau yn yr oed priodol i fowldio cymeriad.

Pan ddaeth Gwynfor yn ddigon o oed, cafodd John fynd allan i weithio, ac wrth fynd at ei waith un bore ar ei feic, cafodd ddamwain fawr a amharodd arno weddill ei oes.

Y cam pwysicaf yn hanes John oedd priodi Ceri Pencraig, ac os bu dau o'r un anian erioed, Ceri a John oedd y rheini - Ceri ar y delyn, a John yn canu.

Cyfnod byr yn ardal y Groes, Dinbych, a rhaid oedd cael cymryd rhan yng ngweithgareddau'r capel a'r canu yn y fan honno hefyd, yr un oedd John ym mhob man.

Symud wedyn i Ddinmael i ffermio Llys Dinmael. Gwnaeth ei hun yn ddefnyddiol yng Nghapel Dinmael, bu'n codi canu ac roedd mynd mawr ar y cyfarfodydd bach yn y cylch, a John ynghanol y cwbl. Ymunodd â chorau cymysg a Meibion Llangwm, a'r Parti Cerdd Dant. Dyma'r cyfnod y ces i fwyaf i'w wneud ag o. Roedd yn aelod gwerthfawr iawn o barti cerdd dant Cwm Eithin. Cyfnod y mynd mawr i gadw cyngherddau ac eisteddfota.

Yn fuan iawn wedyn, dechreuasom ganu deuawdau gyda'n gilydd. Roedd John eisoes yn ddeuawdwr profiadol ac wedi canu llawer gyda'i frawd, Gwynfor, gyda chryn lwyddiant. Roedd yn werth canu wrth ei ochr, bob amser yn gwybod ei waith yn berffaith, ac fe gawsom lwyddiant yn y Genedlaethol ddwywaith, a chanu ar hyd a lled y wlad am flynyddoedd.

Symudodd y teulu wedyn i Lanelidan, a John yn ymuno â Pharti Hogiau Clwyd. Roedd yn rhaid iddo gael bod mewn rhyw barti neu gôr, a Chôr Pwllglas oedd yr olaf i gael ei wasanaeth gwerthfawr.

Wedi dod i Bwllglas, sefydlodd Barti Hafod y Gân a dyna wefr yn sicr i Ceri ac yntau gael mynd o gwmpas y wlad i ddiddori cynulleidfaoedd. Parti teulu go iawn, y plant wedi dod yn gantorion da, a John yn falch ohonynt, ac mor falch oedd cael gweld Arwel ac Erfyl yn ennill ar y ddeuawd yn y Genedlaethol. Os gwnaeth rhywun ddiwrnod da o waith ym myd canu, John oedd hwnnw ac wedi sicrhau fod y traddodiad yn cario ymlaen.

Dyna fo ichwi: John Tyddyn; John Llys Dinmael; John Hafod y Gân. Hysbys y dengys dyn, o ba radd y bo'i wreiddyn.

Emrys Jones, Llangwm

Y mannau lle cynhaliwyd nosweithiau gan Deulu Hafod y Gân o 1977 - 1990.

1977

Derwen; Cerrigydrudion; Lerpwl; Clocaenog;
Cerrigydrudion; Derwen; Pandy Tudur; Llanelidan;
Betws Gwerfyl Goch; Y Rhyl; Neuadd y Cyfnod, Y Bala;
Birkenhead; Glanrafon; Gellifor; Llandegla; Trawsfynydd;
Llandrillo; Llansannan; Corwen; Y Fflint;
Galltegfa, Rhuthun; Groes; Llangwm; Derwen;
Clawdd Poncen, Corwen; Tabernacl, Rhuthun; Dinbych; Groes;
Treuddyn; Bodfari; Cynwyd; Pentrefoelas; Padog;
Tafarn Bryntrillyn; Pwllglas; Capel Tegid, Y Bala;
Bridge, Bontuchel; Pentrefoelas; Clwb Triban, Y Rhyl;
Parc, Y Bala; Llindir, Henllan; Gwesty'r Bull, Abergele;
Connah's Quay; Yr Wyddgrug.

1978-1980

Gwyddelwern; Capel Salem, Llanfair D.C.; Betws-y-coed;
Abersoch; Bridge, Bontuchel; Caernarfon; Clawddnewydd;
Y Drenewydd; Llanelidan; Bontuchel;
Clwb Tanybont, Caernarfon; Llangynhafal;
Castell Rhuthun; Tan y Bont, Caernarfon; Sarnau; Bae Colwyn;
Fox and Hounds, Pwllglas; Cerrigydrudion; Llanrwst; Rhewl;
Gwesty'r Bull, Abergele; Neuadd y Sir; Clwb Fron Dinas; Mancot;
Tanyfron, Wrecsam; Wolverhampton; Dolwyddelan;
Llanarmon yn Iâl; Clwyd Gate, Llanbedr; Pwllglas;
Cerrigydrudion; Cyffordd Llandudno; Talybont, Y Bala;
Cerrigydrudion; Bodfari; Dyserth; Bridge, Bontuchel;
Treffynnon; Dinas Dinlle; Cynwyd;
Fox and Hounds, Pwllglas; Clwyd Gate, Llanbedr; Llanberis;
Yr Wyddgrug; Steakhouse, Rhuthun; Cefn Mawr, Wrecsam;

Llanrwst; Capel Salem, Bae Colwyn; Talybont, Conwy;
Llandyrnog; Pencaenewydd; Llansannan; Llandegla;
Penrhyndeudraeth; Bae Colwyn; Wrecsam;
Dyffryn Ceiriog; Betws-yn-rhos; Llansilin; Rhewl;
Llanuwchllyn; Cerrigydrudion; Llanfaircaereinion;
Neuadd y Cyfnod, Y Bala; Rhesycae;
Woodlands, Bontuchel; Cwmtirmynach; Fron Ganol,
Llanbedr D.C.; Melin-y-wig; Rhydymain; Cefn Brith; Llangollen;
Clwyd Gate, Llanbedr; Y Drenewydd; Clwb Fron Dinas;
Tafarn Bryntrillyn, Bylchau.

1981

Clwb Tanybont, Caernarfon; Bridge, Bontuchel; Llansilin;
Fron Ganol, Llanbedr; Woodlands, Bontuchel; Bodfari;
Clwb Fron Dinas; Bodorgan; Gwesty'r Eryrod, Llanrwst;
Clawddnewydd; Llansannan; Llanfaircaereinion;
Llandyrnog; Abersoch; Tafarn Bryntrillyn, Bylchau; Dolgellau;
Clwb Fron Dinas; Llanberis; Bae Colwyn; Penrhyndeudraeth;
Dolwyddelan; Betws y Coed; Rhoshirwaen; Yr Wyddgrug;
Rhydymain; Pencaenewydd; Llangynhafal; Llangwm;
Y Drenewydd; Defaidty, Cwmtirmynach;
Capel Bedyddwyr, Rhuthun.

1982

Gwyddelwern; Glantraeth, Bodorgan; Carrog, Corwen;
Machynlleth; Capel Bethania, Rhuthun;
Capel Salem, Llanfair D.C.; Coedpoeth; Llangollen;
Dinbych; Bodedern; Rhuddlan; Cilcain;
Southport; Tanygrisiau; Abergele; Rhydlydan;
Llandyrnog; Abergele; Llanarmon yn Iâl; Castell Rhuthun;
Llanfor; Dolgellau; Ysgol Glan Clwyd, Llanelwy; Rhewl;
Derwen; Llangwm; Yr Wyddgrug; Clwyd Gate, Llanbedr;
Llannefydd; Llandegla; Clocaenog; Pwllheli;
Capel Seion, Llanrwst.

1983

Sarnau; Treffynnon; Llanuwchllyn; Corwen;
Awelon, Rhuthun; Capel Tŷ Du, Sir Fôn; Corwen;Talybont;
Plas Maenan, Llanrwst; Corwen; Y Fflint; Talardy, Llanelwy;
Bridge, Bontuchel; Llanfachraeth; Fron Ganol, Llanbedr D.C.;
Rhuthun; Abergele; Eirianfa, Dinbych; Carno; Bridge, Bontuchel;
Yr Wyddgrug; Bridge, Llangernyw; Neuadd Dol y Wern; Lerpwl;
Llanrhaeadr; Dinbych; Aberporth; Pwllglas; Llandrillo;
Tabernacl, Rhuthun; Llanelli; Caergeiliog;
Croesoswallt; Caernarfon; Caergybi; Abersoch;
Pennal, Machynlleth; Bangor; Llanfairfechan;
Fox and Hounds, Pwllglas; Abergele; Dinbych; Llangollen;
Bridge, Bontuchel; Cwm Nantcol; Caer

1984

Yr Wyddgrug; Capel Galltegfa, Rhuthun; Yr Wyddgrug;
Dinas Mawddwy; Llangyndeyrn; Capel Glanrafon; Glan Conwy;
Llangedwyn; Awelon, Rhuthun; Bethesda; Llanbedr Pont Steffan;
Llangernyw; Llandyrnog; Pencaenewydd; Llithfaen;
Hirwaen, Aberdâr; Birkenhead; Tywyn; Llanbrynmair;
Trawsfynydd; Bae Treaddur; Yr Wyddgrug; Y Ffôr, Pwllheli;
Dinmael; Rhesycae; Pistyll, Nefyn; Fron Ganol, Llanbedr D.C.;
Abersoch; Saron; Niwbwrch.

1985

Edern, Pwllheli; Porthaethwy; Aberporth; Cemaes, Sir Fôn;
Bodffordd; Dinbych; Llanfaircaereinion; Trem y Foel, Rhuthun;
Adfa, Llanfaircaereinion; Llanbedr Pont Steffan; Maerdy, Corwen.

1986

Capel Engedi, Caernarfon; Llanarmon D.C.; Llansilin; Dinbych;
Dinbych; Llangynog; Llanfihangel yng Ngwynfa; Bontnewydd;
Garndolbenmaen; Llanerchymedd.

1987

Llandeilo; Plas Maenan, Llanrwst; Dinbych; Canolfan Menai;
Maenan Abbey, Llanrwst; Rhuthun; Dinbych; Caerfyrddin;
Y Fali, Sir Fôn; Abergele; Llandudno; Wrecsam;
Bae Colwyn; Bryn Morfydd, Llanrhaeadr; Betws Gwerfyl Goch;
Plas Maenan, Llanrwst; Bae Colwyn; Fron Ganol, Llanbedr.

1988

Awelon, Rhuthun; Rhuthun; Llandudno; Llanymynech;
Dinbych; Abergele; Y Rhyl; Clwyd Gate; Llanbedr D.C.;
Bodedern; Gellifor; Maerdy; Abergele;
Cyffordd Llandudno; Rhuthun; Cefn Mawr; Llannefydd;
Aberhosan; Bridge, Bontuchel;

1989

Castell Rhuthun; Groes; Caerwys; Caergybi;
Abergele; Trefnant; Llanfihangel yng Ngwynfa; Y Bala;
Bae Colwyn; Cerrigydrudion; Llanelidan; Llangwyfan;
Graigfechan; Wrecsam.

1990

Trelawnyd; Dolgellau; Caergybi; Fron Ganol, Llanbedr D.C.;
Dinbych; Glyn Ceiriog.

Casgliad o rai o'r geiriau a gyfansoddais ar gyfer Teulu Hafod y Gân

Be' sy'n Bod?

Bu Cymru fach yn cysgu,
Bu Cymru fach yn ddall,
Bu Cymru fach yn fyddar yn ddi-ball,
A gwerthu wnawn i estron
Ein heiddo 'nawr a'n tir,
Cans arian ydyw gwraidd y drwg a'r gwir.

Cyt:
Dwed wrthyf i, be' sy'n bod?
Dwed wrthyf i, be' sy'n bod?

Paham na fyddai deddfau
A senedd fach i'n gwlad
Rhag gwerthu'r ffermydd bychain yn un stad,
Ni fyddai bwthyn unig
Nac unrhyw furddun tlawd
Yn eiddo Sais nac estron dan ei fawd.

Y ni sy'n Gymry gwasaidd,
Paid beio'r Sais a'i fri,
Cans ganddo ef mae'r arian cofia di,
Ry'm eto'n ceisio deffro
Yn awr o'n tawel hedd
Rhag ofn i Gymru annwyl fynd i'r bedd.

Ond nid trwy dân a ffrwydro
Mae ennill hon yn wir,
Trwy wneud rheolau newydd drwy ein tir,
Pob Cymro ar ei orau
Yn hau a medi draw,
Er cadw'n gwlad rhag sathru yn y baw.

Beth sydd yn fy nghalon

Cyt:
O! dywed wrthyf a wyt yn fy ngharu i?
Rwyf yn meddwl amdanat bob dydd,
Ac fe rof rywbeth am fod yn dy gwmni di
Fe wyddost beth sydd yn fy nghalon fach gudd.

Do, fe aethost ti a'm gadael
Gan geisio cwmni rhywun gwell,
Ac fe'th deimlaf di yn gafael
Yn fy llaw fel rhwymau cell,
Pam aethost ffwrdd ymhell?

Gwn fod gennyf fy nghamweddau
Ond rhaid rhoi heibio pethau ffôl,
Tyrd i'm bywyd, tyrd i'm breichiau
Ac i orwedd yn fy nghol,
O! pam na ddoi di'n ôl?

Anfon lythyr i'm cysuro
Fe fyddai'n werth i minnau fyw
Gad i'm wybod, wyt ti'n cofio'r
Llwybr serch wrth droed y rhiw,
Fy ngeiriau olaf yw:

Breuddwydio

Breuddwydiais mod i'n berchen cyfoeth drud,
Breuddwydiais fod y sêr yn aur i gyd,
A'r lleuad dlos ddisgleiriai uwch fy mhen
Fel pelen aur ddisgynnai lawr o'r nen,
Breuddwydiais mod i yn eu casglu hwy
A'u rhoi yn llaw'r trueiniaid dan eu clwy,
Breuddwydio, breuddwydio, breuddwydio, breuddwydio.

Breuddwydiais mod i'n gweled plant y byd,
Breuddwydiais eu bod oll a'u dwylaw 'nghyd,
Pob cenedl, pob iaith yn gylch mewn hedd
Yn gwenu â hapusrwydd ar eu gwedd,
Roedd gobaith yn eu llygaid hwy bob un
A chariad brawdol rhwng pob mab a mun.
Breuddwydio, breuddwydio, breuddwydio, breuddwydio.

Breuddwydiais weld penaethiaid yn gytûn,
A chwifio baner heddwch wnaent bob un,
Dim sôn am arfau, na ffrwydriadau prudd,
Roedd deigryn o lawenydd ar eu grudd,
Breuddwydiais weled byd heb ladd, na phoen,
A'r llew a'r blaidd orweddai 'nghwmni'r oen.
Breuddwydio, breuddwydio, breuddwydio, breuddwydio.

Byd yr Olwynion

Hedfan mae y dyddiau yn gynt ac yng nghynt,
Hedeg a wnânt heibio fel awel o wynt,
Pawb yn rhy brysur i feddwl am Dduw,
Amser sy'n diflannu a phawb eisiau byw.

Cyt:
Byd yr olwynion a phawb sydd yn ffoi,
Byd ar olwynion fel melin yn troi,
Bywyd y betio, y baril a'r bel,
Beth tybed fydd hanes y dyddiau a dêl?

Amser nid oes gennym, rhaid tynnu'n y ffrwyn,
I rannu cwmnïaeth, na gwrando ar gwyn,
Amser i ymweled â ffrind sydd yn wael,
'Fe awn ni yfory' yw'r geiriau'n ddi-ffael.

Heddiw sydd yn bwysig, rho gymorth dy law,
Na ad tan yfory, ni wyddost beth ddaw,
Rho funud i feddwl am rywrai mewn loes,
Amser nid oes gennym, rhy gyflym yw'r oes.

Dŵr Cymru

Cyt:
Dŵr, dŵr, dŵr, mae dŵr yng Nghymru fach,
Mae nentydd ac afonydd yn rhan o'i dyfroedd iach,
Dŵr, dŵr, dŵr sy'n hanfod digon siŵr,
O! dwedwch pam ei fod mor ddrud o hyd yng Nghymru fach.

O! do, fe foddwyd Celyn a'i wneud i gyd yn llyn,
Wrth foddi cymoedd Cymru, caed dŵr o bant i fryn,
Fe gofiwn am y cewri fu yno ddyddiau gynt
Yn feirdd ac yn llenorion a'u gwreiddiau yn y gwynt.

Mae Brenig yn ardderchog, mae'n rhan o Gymru fad,
Daw dŵr o'r cymoedd unig i lifo dros ein gwlad,
A gwerthu wnawn i estron ein heiddo yn rhy rad
Tra'r werin mewn dyledion yn suro mewn sarhad.

Dyffryn Clwyd

Cyt:
Pam, pam na ddoi di draw am dro i Ddyffryn Clwyd?
Fe gei weled harddwch bro o ben y moelydd llwyd;
Pam, pam na ddoi di draw am dro i Ddyffryn Clwyd?
Lle mae pawb yn llon eu cân a'u calon yn llawn nwyd.

Canol haf cei deimlo rhamant
Wrth gyd-ddringo'r moelydd hyn,
Dyma ddarlun mewn gogoniant -
Darlun lliw o bant i fryn.

Cawn gyd-eistedd mewn tawelwch,
Drachtio'n hael o'r awyr iach,
Gweled natur mewn prydferthwch
Ac ymlacio ennyd fach.

'Mhell o ganol tref a'i thwrw,
'Mhell o fwg y cymoedd glo,
Fe gei liw i'r wyneb gwelw,
Tyrd i'r dyffryn, tyrd am dro.

Do, fe aeth y tymor hyfryd,
Pen y foel sydd heddiw'n wyn,
Ond cei groeso ar ein haelwyd,
A chawn rannu'r oriau hyn.

Ein Harwr

Agorwn ein genau dros gyflwr ein gwlad
A safwn i fyny i'r gad,
Agorwn ein llygaid a gweithiwn mewn ffydd
Ein hiaith sydd yn marw bob dydd.

Cyt:
Achubwn ein harwr, efe yw'r concwerwr,
Achubwn ein harwr rhag llewyg a loes,
Bydd rhai yn eu dagrau
Cywilydd ein hoes.

Ein clust sydd yn fyddar, "Ai Cymro wyt ti?"
Gwrandawed yn awr ar ein cri,
A rhowch ar ein haelwyd raglenni o fri,
Mae doniau yng Nghymru i chwi.

Aberthu wna Gwynfor ei enaid a'i oes
Dros Gymru, dros iawnder a moes,
Dros iaith, dros ei genedl, mae'n ymladd heb waed,
A safed pob un ar ei draed.

Gweithredwn 'n lle siarad, mae'r awr yn nesau
Agorwn ein genau yn glau
A daliwn ein gafael nes cyrraedd y nod,
A chanwn i Gwynfor ei glod.

Ein gwerin sy'n deffro fe welwch yn glir
A Gwynfor fu'n tramwy ein tir,
Enillodd y frwydr, enillodd heb gledd
Ein harwr sy'n fyw yn ei sedd.

Cyt. olaf
Mae Cymru yn deffro, O! peidiwch anghofio,
Mae Cymru yn deffro, fe ddaw newydd wedd,
Wrth frwydro gwnawn ennill
Cyfiawnder a hedd.

Gwalia fy Ngwlad

Gwalia fy ngwlad, Gwalia fy ngwlad,
Gwalia fy ngwlad ydwyt ti,
Cartref a bwth, telyn a chrwth,
Gwalia sy'n annwyl i mi;
Dyma lle'm ganed ar aelwyd mor glyd,
Bwthyn gwyngalchog sy'n aros o hyd,
Caraf fy nghartref, fy mam a fy nhad,
Caraf fy iaith a fy ngwlad.

Gwalia fy ngwlad, gwalia fy ngwlad,
Gwalia fy ngwlad ydwyt ti,
Nid oes un lle o dan y ne
Mor annwyl a gwalia i mi;
Yma mae 'ngwreiddiau lle troediais i gam,
Lle dysgais i siarad iaith beraidd fy mam;
Safwn dros Gymru rhag dirmyg a brad,
Safwn dros iawnder ein gwlad,
Safwn, safwn, safwn i'n gwlad.

Gwell un aderyn mewn llaw na dau mewn llwyn

Cyt:
Gwell un aderyn mewn llaw na dau mewn llwyn,
Gwell un aderyn mewn llaw, paid dweud dy gwyn,
Gwell un aderyn mewn llaw beth bynnag eto ddaw,
Gwell un aderyn mewn llaw na dau mewn llwyn

Mae gennyt waith yn gyson, "Ai bodlon ydwyt ti?"
Mae'r glaswellt heddiw'n wyrddlas mewn cae yn d'ymyl di,
Ond wedi newid porfa, fe glywn yr un hen gwyn -
Gwell un aderyn mewn llaw na dau mewn llwyn.

Yr wyf yn methu dewis wrth ddal i garu dwy,
Rhaid gwneuthur penderfyniad, y cariad aiff yn fwy,
Rhaid dysgu'r hen ddihareb a thynnu yn y ffrwyn -
Gwell un aderyn mewn llaw na dau mewn llwyn.

Yr ochr draw i'r afon mae ffermwr ddigon swanc,
Fe gadwai stoc ardderchog, hyn oll ar bwys y banc,
Cysuro wnes fy hunan, sibrydais eiriau mwyn -
Gwell un aderyn mewn llaw na dau mewn llwyn.

Mae Mrs Jones ffroen uchel yn byw yn nymbar 3,
Cot ffwr a fitted carpet, a hynny ar H.P.
Os nad wy'n grand, rwy'n hapus, mae'r geiriau'n llawn o swyn -
Gwell un aderyn mewn llaw na dau mewn llwyn.

Llaw y Meddyg

Yn dy law y mae fy mywyd,
Aros yma gyda mi,
Pan mewn poen yn nydd y ddrycin
Ti yw'm hamddiffynfa i;
Dan dy adain rwy'n cysgodi
Ar ddihun mewn ing a loes,
Ti yw'r un a wrendy weddi,
Fe ddioddefaist ar y groes.

Yn dy law fe rof fy mywyd
Cyn y driniaeth greulon erch,
Trwy fy ffydd ces weledigaeth
A chysuron llwybrau serch,
Llaw y meddyg fu yn dyner,
Rhoddodd imi lwyr wellhad,
Rhois fy hunan oll heb bryder
Yn dy ofal Di, ein Tad.

Trwy Dy law ces nerth i adfer
Ar ôl cystudd maith a blin,
Trwy dy gariad a'th addfwynder
Cefais brofi blas dy rin;
Am gael gweled haul y bore,
Gwên y rhai fu'n gweini'n rhydd,
Diolch rof i drefn rhagluniaeth
Am gael gweled golau dydd.

Melys Moes Mwy

Aeth i'r dafarn yn y dref,
Drachtio'n hael o'r peintiau a wnaeth ef,
Gwelais ef yn syllu ar y gwydrau clir,
Syrthio wnaeth i drwmgwsg am yn hir!
Melys, melys, melys, melys, melys moes mwy,
Ar ôl yfed peintiau am ryw awr neu ddwy,
Melys, melys, melys, melys, melys moes mwy,

Gwelais bishyn yn y ddawns,
Rhoddais iddi gusan ar fy siawns,
Rhoi fy llw amdani, roedd yn eneth dlos,
Daeth ei chariad yno - cefais war a chlos!
Melys, melys, melys, melys, melys moes mwy,
Paid â bod yn wirion, nid mor hawdd yw caru dwy,
Melys, melys, melys, melys, melys moes mwy,

Ar fy ngwyliau 'mhell o'm bro,
Draw i westy'n Llundain es un tro,
Troi i mewn i gamblo i'r casino wnes,
Colli 'mhen yn wirion, colli 'mhres!
Melys, melys, melys, melys, melys moes mwy,
Gwylia dithau gyfaill - y mae gamblo'n glwy'.
Melys, melys, melys, melys, melys moes mwy,

Cafodd Mrs Jones, Tŷ'n Pant
Dylwyth heb ei ddisgwyl, llond y tŷ o blant,
Roedd yn derbyn arian 'fwy na 'rioed,
Ond, yn wir, mae'n biti bod hi'n mynd i oed,
Melys, melys, melys, melys, melys moes mwy,
Do, fe gafodd bleser am ryw awr neu ddwy!
Melys, melys, melys, melys, melys moes mwy,

Pres yw popeth drwy ein gwlad,
Pawb yn awr sy'n streicio, pwy a wad?
Codi y mae prisiau'n uwch ac uwch o hyd,
Ar y dôl bydd miloedd yn cael esmwyth fyd,
Melys, melys, melys, melys, melys moes mwy,
Rhaid i rywun ddeffro, ond y cwestiwn, "Pwy?"
Cofia'r hen ddihareb honno, Melys Moes Mwy.

Paham Dinistrio?

Paham fod rhaid dinistrio
Ac ymladd yn ddi-ball?
Paham fod rhai yn brwydro
Casáu y naill a'r llall?
Creulondeb sydd yn gwreiddio
O fewn cyneddfau dyn,
Mae'r diafol wrthi'n gweithio
Yn ddirgel drosto'i hun.

Paham fod rhaid dinistrio
Bywydau dynol-ryw?
Paham fod rhai yn dioddef
Heb achos dan eu briw?
Mae dynion yn dyfeisio
Ffrwydriadau erchyll, ffôl,
Yr atom bom sy'n difa
Ac ni bydd neb ar ôl.

Paham fod rhaid dinistrio
Prydferthwch daear lawr?
'Rôl creu y byd mor gywrain -
Holl waith y brenin mawr;
Gan chwalu pob dedwyddwch,
Pob pleser a mwynhad,
Pa bryd y cawn ni heddwch
I drigo yn ein gwlad?

Pam rhoddi genedigaeth
I'r baban bach di-nam,
A'i fagu i ryfela
'Rôl gofal gan ei fam;
Creulondeb ac nid cariad
Yw'r gair sydd yn ein clyw,
Pe byddai mwy o gariad,
A mwy o sôn am Dduw.

Pwllglas

Yng nghysgod y creigiau
Mae nghartre bach clyd
Sy'n rhan o'r dyffryn
Prydfertha'n y byd,
Er stormydd y gaeaf
A gwyntoedd mawr cas,
Mae pawb mor gynhesol
Ym mhentre Pwllglas.

Mae siop a llythyrdy
I lawr yn y Rhiw,
Erys addoldai -
Mae'r gwreiddiau yn fyw;
Y neuadd sy'n gyrchfan
Adloniant o dras,
A phawb ar ei orau
Ym mhentre Pwllglas.

Ymwelwyr sy'n aros
Bob haf yn eu tro,
Tawelwch y dyffryn,
Yr afon a'r gro;
Cânt ddringo y creigiau
Ysgithrog a bras,
Ac edrych ar harddwch
Ym mhentre Pwllglas.

Mae'r pentre yn tyfu
Er gwell neu er gwaeth,
Saeson ddaw yma
I yfed y maeth;
Rhaid magu cenhedlaeth
Rhag colli y blas
Ar gadw'r Cymreictod
Ym mhentre Pwllglas.
Er stormydd y gaeaf
A gwyntoedd mawr cas,
Mae pawb mor gynhesol
Ym mhentre Pwllglas.

Pwy fel Efe

Ganwyd inni faban Iesu,
Pwy fel Efe?
Clyw'n garolau heddiw'n canu,
Pwy fel Efe?
Doethion a bugeiliaid hwythau
Yn ymgrymu ar eu gliniau,
Baban Iesu oedd yn ddiau,
Pwy fel Efe?

Yn y preseb mewn cadachau,
Pwy fel Efe?
Moli'r baban yn eu dagrau,
Pwy fel Efe?
Roedd y seren yn disgleirio
Uwch y stabl i'w goleuo,
Gwelir Mair yn ei gofleidio,
Pwy fel Efe?

Dydd Nadolig ydyw hwnnw
I'w gofio Ef,
Rhoi anrhegion a wnawn heddiw
I'w gofio Ef,
Dathlu'r ŵyl heb ei anghofio
Mewn tangnefedd a'i fendithio,
Baban Iesu, rhaid ei gofio,
Pwy fel Efe?

Rhannu Hapusrwydd

Cyt:
Hapus, hapus, hapus ein bron,
Ieuanc, ieuanc, ieuanc a llon,
Dyma'n union a wnawn ni
Rhannu hapusrwydd i chwi.

O! mor hardd yw'r cread mawr
A'r tymhorau gwiw,
Mae pob munud, mae pob awr
Inni'n werth i fyw.

Os yw bywyd braidd yn brudd -
Paid ag edrych i lawr,
Dos i 'mweld pan wawrio'r dydd,
Ffrindiau weli yn awr.

Gwnawn ein gorau, gwnawn ein rhan,
Byw ein bywyd yn llawn,
Helpu'n gilydd, helpu'r gwan
Rhoi hapusrwydd a wnawn

Swper Cynhaeaf

Croeso ar aelwyd, dyma a gawn,
Swper cynhaeaf, cylla yn llawn,
Dyma ein diolch, dyma ein cân,
Pawb yn ei afiaith, tanllwyth o dân.

Cyt:
Diolch i'r Iôr am bob bendith a gawn,
Diolch i'r Iôr am gynhaeaf llawn,
Diolch i'r Iôr am aeddfedu'r grawn,
Diolch, diolch a wnawn.

Croeso ar aelwyd, aelwyd mor glyd,
Swper cynhaeaf ddaw yn ei bryd,
Braf ydyw gweled tymhorau'n eu tro,
Hydref ddaw eto i harddu ein bro.

Croeso ar aelwyd, danteithion ar fwrdd,
Swper cynhaeaf a phawb yn cyd-gwrdd,
Pennill a stori, pawb yn ei dro,
Cân ar yr aelwyd, hwyl o dan do.

Toriad Gwawr

Cyt:
Daw machlud haul 'rôl toriad gwawr,
Tawelwch mud dros ddaear lawr,
Gorffwysed pawb rôl gwaith y dydd
Yn rhydd dan ofal Duw ei hun.

Fe dyr y wawr rôl hyfryd hedd,
Daw golau mwyn a newydd wedd,
Llawenydd pur a leinw 'mron
A wna ein calon ni yn llon.

A diwrnod newydd ddaw bob dydd
A llawnder inni eto'n rhydd
Fe gwyd yr haul dros ael y bryn
Gan wneud ein bywyd ni yn wyn.

I ti ein Tad, diolchwn 'nawr
Am nos a dydd a thoriad gwawr,
Am fachlud haul a lleuad dlos,
Am dawel huno yn y nos.

Y Croeshoeliad

Gwelais y groesbren, clywais ei gri,
Gwelais yr Iesu ar ben Calfari,
Fe ddioddefodd ef loes, do yn dawel drosom ni,
Ef roes ei fywyd a'i waed yn lli.

Clywais y morthwyl ar yr hoelion dur,
Clywais erlidwyr yn ei wawdio dan ei gur,
Fe wyrodd ei ben dan bigiadau'r goron ddrain,
Pwy a'i bradychodd, ai un o'r rhain?

Gwelais y dagrau a'r defnynnau gwaed,
Gwelais rai ffyddlon yn plygu wrth ei draed,
Nid oedd iddo le, yn y bedd fe'i rhoes yn brudd,
Ond ef a gyfododd y trydydd dydd.

(I'w chanu ar yr alaw *"Show me the prison"*)

Y Dafarn Laeth

Cyt:
Clywais i fod llefrith i'w gael yn y Bull,
Nid yw syniad felly i mi yn beth dwl,
Glasied bach o lefrith sy'n llesol maen siŵr,
Gwell ydyw hwnnw na wisgi a dŵr.

Ni fydd gwaith i'r heddlu, dim geiriau cas,
Na dim breathalyser nes byddwch yn las,
Neb yn dioddef drannoeth a chur yn ei ben
Neb a wyneb gwelw fel rhyw ddarn o bren!

Fe gei yn y dafarn botelaid o laeth
Ni bydd raid i'r mamau fod adref yn gaeth,
Ac os bydd y babi yn anodd ei drin
Dos a fo allan a'i roi ar draws dy lin!

Gwenu mae y ffarmwr a'i logell yn llawn,
Gwerthu wna ei lefrith bob bore a 'nawn,
Ac fe fydd hysbyseb mewn pentre' a thre'
Drink a pint of milk a day and keep the doctor away!

Pan ddaw dydd Nadolig, cawn fwynhau yr ŵyl,
Neb yn teimlo'n gysglyd, a phawb yn llawn hwyl,
Fe gawn ddathlu'r flwyddyn, canwn Auld Lang Syne
Iechyd da trwy lefrith hefo taid a nain!

Y Wlad Estronol

Fe aeth i wlad estronol
A mynd o Gymru fach
I edrych am ryw fywyd gwell
A gadael bröydd iach;
Mae Cymro oddi cartref
Yn cael ei barchu'n fwy,
Paham yr aethost ffwrdd o'th wlad?
Nid hawdd yw caru dwy.

Cyt:
Ond nid yw cyfoeth ond aur ac arian iti fyw,
Mae cyfoeth mwy wrth wasanaethu Duw,
A throi a thrin a hau yr had
A thorri cwys fel cwys dy dad
Mae lle i ti yng Nghymru fad
Dy gartref yw.

Fe aeth o olwg bryniau
A dolydd Dyffryn Clwyd
I wlad lle nad oes dim ond paith
Na blewyn glas yn fwyd,
Fe aeth o fro ei febyd
O olwg ffrind a châr,
A gadael harddwch Cymru lân,
A gadael gwlad y gân.

Fe ddof yn ôl i Gymru
Yn ôl i'm hannwyl wlad,
Yn ôl i'r fangre hyfryd hon
Lle roedd fy mam a nhad;
Ond torri wnaeth fy nghalon
Gan greu teimladau blin,
Mae iaith estronol yma'n awr
Yn llithro dros ei min.

Ysbryd Glyndŵr

Mae ysbryd Glyndŵr ym Meirionnydd,
Ymladdodd yn ddewr dros ei wlad,
Bu'n sylfaen i galon y genedl,
Fe safodd trwy erlid a brad;
A thybiaf ei glywed ef eto
Fel eco yn gwanu fy nghur
Yn gweiddi am ryddid i Gymru,
A thinc y cleddyfau dur.

Mae ysbryd Glyndŵr ym Meirionnydd
Er gwaethaf y gelyn a'i stŵr,
Dioddefodd yn dawel bob gormes
Gan osod sylfeini i'r tŵr;
Machludodd yr haul dros y gorwel,
Ymladdodd erlidwyr y gad,
Enciliodd i gysgod y creigiau,
Wylodd dros gyflwr ei wlad.

Mae ysbryd Glyndŵr heddiw'n effro,
Ymladdwn yr ornest heb waed,
A sefyll fel gwnaeth ein cyndadau,
Er codi'r hen wlad ar ei thraed.
Ysbryd Glyndŵr.

Ar Derfyn y Dydd

Ar derfyn y dydd, penliniaf yn rhydd
I ddiolch i Dduw am roi nerth a ffydd,
I fyw wrth ei fodd ac am fywyd yn rhodd,
Dyma 'ngweddi ar derfyn y dydd.

A phan ddaw y bore fe weli y wawr
Cei agor dy lygaid a'th galon yn awr,
Bydd barod i dderbyn pob peth a ddaw,
I gyfeillion anghenus ymestyn dy law;
Cei nerth a diddanwch wrth fyw yn y byd
Os gwnei di dy orau i eraill o hyd,
Gwna hwy yn llawen pan yn isel eu bron,
Dy fywyd fydd yn llon.

Ar derfyn y dydd, penliniaf yn rhydd
I ddiolch i Dduw am roi nerth a ffydd,
I fyw wrth ei fodd ac am fywyd yn rhodd
Dyma 'ngweddi ar derfyn y dydd.

(Cyfieithiad o *At the end of the day* a genid
gan John ar ddiwedd 'Wedi'r Oedfa'.)

Hiraeth am Gymru

Rwy'n hiraethu am gael mynd yn ôl i Gymru,
Cyn treulio'r dydd, cyn dyfod llenni'r nos,
I gael dringo'r Wyddfa'i weld yr haul yn codi,
A'i weld yn machlud dros y Fenai dlos.

O! am glywed cân y pistyll bach yn disgyn,
A'r merched wrthi'n trin y gwair a'r ŷd,
A hen weithdy'r crydd lle clywir brwd dadleuon
Rhyw senedd fach i drafod cwrs y byd.

Daw atgofion dros yr eigion draw i Gymru
Wrth dân o fawn a golau'r gannwyll frwyn,
A'r amaethwr fore glas yn codi'r cnydau
Yn siarad iaith na ŵyr y Sais mo'i swyn.

Os daw'r Sais a'i anturiaethau dros Glawdd Offa
A'n beio am ei farnu ef ar gam,
Haws fydd iddo olau cannwyll o ryw seren
Na chael y Cymro'i wadu iaith ei fam

Rwy'n hiraethu am gael mynd yn ôl i Gymru,
Mi garwn weld hen aelwyd mam a 'nhad,
Ac rwy'n erfyn ar fy Nuw pan ddaw yr alwad
'Gael gorwedd rhwng hen fryniau aur fy ngwlad.

(Cenid hon ar *Galway Bay* gan John mewn cyngerdd.
Pwy tybed a ysgrifennodd y geiriau hyn?)

Gŵyl Gelfyddydau Caergybi
Holyhead Arts Festival

CAWL A CHÂN
yng nghwmni
TEULU HAFOD
Y GÂN

a

MAGWEN LLOYD
(Telynores)

7.00 p.m.

NOS WENER, TACHWEDD 3ydd
yn
YSGOL UWCHRADD CAERGYBI

TOCYNNAU:
£2.50 yn cynnwys lluniaeth
Noddir gan Gwmni Alwminiwm Môn

NEUADD M.C. CAERGEILIOG

Cyngerdd gan

Deulu Hafod y Gan
RHUTHUN

Nos Wener Ebrill 30ain *1982*
Am 7.30 o'r gloch
Llywydd Mrs. A Lloyd Williams, Bangor.

Tocyn £1   Plant a phensiynwyr 50c

Dan nawdd Cymdeithas y Clwb

CYMDEITHAS CYMRY CAER

CYNGERDD
gan
PARTI HAFOD Y GÂN
yn
YSGOLDY EGLWYS St. JOHN STREET
CAER
NOS WENER MEHEFIN 10, 1983
DECHREUIR AM 7-30 pm   TOCYN £1

CAPEL EBENESER (M.C.), Y FFOR
NOS SUL, MEDI 9fed, 1984

CYNGERDD
GAN BARTI ENWOG
TEULU HAFOD-Y-GAN
Pwllgas, Rhuthun

Cyflwynydd : Mr. FRED JONES, Rhuthun
Cadeirydd : Mr. GERALLT W. JONES, Pwllheli

Drysau'n agored am 7.15   Dechrau am 8.15
Tocyn Cadeifan — £1.50

MERCHED Y WAWR, LLANELWY

NOSON LAWEN
gyda
THEULU HAFOD-Y-GAN
ac
R. E. JONES, SARON

Nos Wener, Tachwedd 6, 1981, am 7.30 o'r gloch
NEUADD YSGOL GLAN CLWYD

Cadeirydd: Dr. GWYN THOMAS, Dinbych

MYNEDIAD — Oedolion £1 :   Plant 50c
Yr elw at Granta'r Arabl

YN GANOLFAN ADDYSG LLANSANNAN
NOS SADWRN HYDREF 19eg

Cyngerdd gyda Parti Aelwyd
Hafod y Gan   Pwllglas
Arweinydd Mr FRED JONES, LLANELIDAN
Llywydd Mr R.W.ROBERTS, Llyn Aled, Dinbych
Drysau yn agored am 7 o'r gloch I ddechrau am 7.30
40c Oedolion   10c Plant

NEUADD TREARDDUR
NOS IAU, MAWRTH 1af 1984
AM 7.30 o'r gloch

NOSON LAWEN
A
TEULU HAFOD Y GAN, RUTHUN
Llywydd : MR. EDWARD WILLIAMS, Llangefni
MYNEDIAD 1 MEWN £1.00
Yr elw at Gymdeithas Gwyl Ddrol, Trearddur a'r Cylch

Argraffdy Stanley Caergybi.

131

CROESO '82

NOSON LAWEN
NOS GALAN

CHARLES WILLIAMS

YN CYFLWYNO

TREBOR EDWARDS
TEULU HAFOD Y GÂN
(RHUTHUN)

HUW JONES
(TRAWSFYNYDD)

Y GANOLFAN, PORTHMADOG

NOS WENER 1 o IONAWR 7.30 p.m.

TOCYNNAU— £1 o'r GANOLFAN, (697E) SIOP AERONYDD, (2785)
CANOLFAN GARDDIO (2466) RECORDIAU'R COB (2145)

CANOLFAN HAMDDEN
COLWYN
PARC EIRIAS   BAE COLWYN

NOS SADWRN AWST 1af 1981.
AM 7·30 O'R GLOCH

CYNHELIR

NOSON LAWEN
GYDA
TREBOR EDWARDS
A
THEULU HAFOD-Y-GAN. PWLLGLAS.

MYNEDIAD
OEDOLION : £1. PLANT YSGOL : 50c.

NOS SUL AWST 2il AM 8 O'R GLOCH
Y
CYMANFA GANU
FLYNYDDOL

ARWEINYDD :- Mrs. MAIR SELWAY, LLANSANNAN.
ORGANYDD :- Mr. GWILYM. T. WILLIAMS. ABERGELE.
MYNEDIAD : 40c. PLANT YSGOL : 20c.

CYFARWYDDWR MWYNDERAU - T. ALUN. OWEN.

League of Friends to Orthopaedic Hospital Oswestry
Chirk Branch

Grand CONCERT
— Featuring —
FRONCYSYLLTE MALE VOICE CHOIR
and
TEULU HAFOD Y GAN
M.C. Mr. Idris Davies

THURSDAY, 29th SEPTEMBER, 1983
at OLIVER JONES MEMORIAL HALL DOLYWERN
£1.25   8.00 p.m.

NEUADD Y PENTRE, ABERPORTH

:::::::::

Cyngerdd Amrywiol
gan Deulu Hafod y Gân
(Artistiaid Radio a Theledu)

NOS SADWRN, 1af HYDREF, 1983

Cadeirydd—Miss Nesta Rees, Rhydyfelin, Aberystwyth

I ddechrau am 8.00 o'r gloch

TOCYN: £1·00

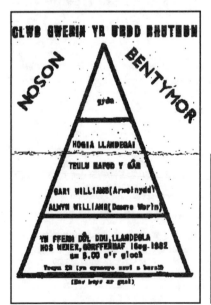